LA FEMME AUX

MAURICE LEBLANC

La Femme
aux deux sourires

LE LIVRE DE POCHE

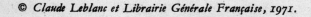

I

PROLOGUE

L'ÉTRANGE BLESSURE

Le drame, avec les circonstances qui le prépa-
rèrent et les péripéties qu'il comporte, peut
être résumé en quelques pages, sans qu'il y ait
risque de laisser dans l'ombre le plus mince
épisode dont il faille tenir compte pour atteindre l'inaccessible vérité.

Cela se passa le plus naturellement du monde.
Aucune de ces menaces sournoises que multiplie
parfois le destin à l'approche des événements de
quelque grandeur. Aucun souffle annonçant
l'orage. Aucune angoisse. Pas même une inquiétude parmi ceux qui furent les spectateurs
confondus de cette toute petite chose, si tragique
par l'immensité du mystère qui l'enveloppa.

Voici les faits : M. et Mme de Jouvelle et les
invités qu'ils recevaient dans leur château de
Volnic en Auvergne — un vaste manoir à tourelles, couvert de tuiles rousses — avaient assisté
à un concert donné à Vichy par l'admirable

chanteuse Elisabeth Hornain. Le jour suivant, le 13 août, sur l'invitation de Mme de Jouvelle, qui avait connu Elisabeth avant qu'elle n'eût demandé le divorce contre le banquier Hornain, celle-ci vint déjeuner, le château n'étant séparé de Vichy que par une douzaine de kilomètres.

Déjeuner fort gai. Les châtelains savaient mettre dans leur accueil cette bonne grâce et cette délicatesse qui donnent du relief à chacun des invités. Ceux-ci, au nombre de huit, faisaient assaut de verve et d'esprit. Il y avait trois jeunes couples, un général en retraite et le marquis Jean d'Erlemont, gentilhomme d'une quarantaine d'années, ayant grande allure et une séduction à laquelle aucune femme n'était insensible.

Mais l'hommage de ces dix personnes, leur effort pour plaire et pour briller, allaient vers Elisabeth Hornain, comme si, en sa présence, aucune parole ne pouvait être prononcée qui n'eût pour motif de la faire sourire ou d'attirer son regard. Elle, cependant, ne s'évertuait ni à plaire ni à briller. Elle ne laissait tomber que des phrases assez rares, où il y avait du bon sens, de la finesse, mais point d'esprit, ni de vivacité. A quoi bon ? Elle était belle. Sa beauté lui tenait lieu de tout. Elle eût dit les choses les plus profondes qu'elles se fussent perdues dans le rayonnement de sa beauté. En face d'elle, on ne pensait qu'à cela, à ses yeux bleus, à ses lèvres sensuelles, à l'éclat de son teint, à la forme de son visage. Même au théâtre, malgré sa voix chaude et son réel talent d'artiste lyrique, elle conquérait d'abord à force d'être belle.

Elle portait toujours des robes très simples, que l'ont n'eût pas remarquées davantage si elles eussent été plus élégantes, car on ne songeait qu'à la grâce de son corps, à l'harmonie de ses gestes et à la splendeur de ses épaules. Sur son corsage ruisselaient de merveilleux colliers, qui s'entrelaçaient les uns aux autres dans un désordre éblouissant de rubis, d'émeraudes et de diamants. Si on l'en complimentait, elle réprimait l'admiration avec un sourire :

« Bijoux de théâtre... Mais j'avoue qu'ils sont bien imités.

— J'aurais juré... », disait-on.

Elle affirmait :

« Moi aussi... et tout le monde s'y laisse prendre... »

Après le déjeuner, le marquis d'Erlemont manœuvra de telle sorte qu'il réussit à la tenir à l'écart et à lui parler en tête-à-tête. Elle écoutait avec intérêt et un certain air de rêverie.

Les autres invités formaient groupe autour de la maîtresse de maison, que cet aparté semblait agacer.

« Il perd son temps, murmurait-elle. Voilà des

années que je connais Elisabeth. Aucun espoir
pour les amoureux. C'est une belle statue, indifférente. Va, mon bonhomme, tu peux jouer ta
petite comédie et sortir tes meilleurs trucs...
Rien à faire. »

Ils étaient tous assis sur la terrasse, à l'ombre
du château. Un jardin creux s'allongeait à leurs
pieds, étirant sous le soleil ses lignes droites, ses
pelouses vertes, ses allées de sable jaune, ses pla-
tes-bandes plantées d'ifs taillés. Tout au bout,
l'amas des ruines qui restaient de l'ancien château, des tours, du donjon et de la chapelle, s'éta-
geait sur des monticules où grimpaient des chemins parmi le fouillis des lauriers, des buis et
des houx.

L'endroit était majestueux et puissant, et le
spectacle prenait d'autant plus de caractère que
l'on savait qu'au-delà de cet entassement prodigieux, c'était le vide d'un précipice. L'envers
de ce que l'on voyait tombait à pic sur un ravin
qui encerclait le domaine, et au creux duquel
mugissait, à une profondeur de cinquante mètres, l'eau tumultueuse d'un torrent.

« Quel cadre ! fit Elisabeth Hornain. Quand
on pense au carton peint de nos décors ! à la
toile des murs qui tremble et à la tapisserie des
arbres découpés !... Ce serait bon de jouer ici.

— Qui vous empêche d'y chanter, tout au
moins, Elisabeth ? dit Mme de Jouvelle.

— La voix se perd dans cette immensité.

— Pas la vôtre, protesta Jean d'Erlemont. Et ce serait si beau ! Offrez-nous cette vision... »

Elle riait. Elle cherchait des excuses et se débattait au milieu de tous ces gens qui insistaient auprès d'elle et la suppliaient.

« Non, non, disait-elle... j'ai eu tort de parler ainsi... je serais ridicule... je paraîtrais si frêle !... »

Mais sa résistance mollissait. Le marquis lui avait saisi la main et cherchait à l'entraîner.

« Venez... je vous montre la route... Venez... cela nous ferait un tel plaisir ! »

Elle hésita encore, puis, prenant son parti :

« Soit. Accompagnez-moi jusqu'au pied des ruines. »

Soudain résolue, elle s'en alla par le jardin, lentement, de cette allure aisée et bien rythmée qui était la sienne au théâtre. Au-delà des pelouses, elle monta cinq marches de pierre qui la conduisirent à la terrasse opposée à celle du château. D'autres marches s'offraient, plus étroites, avec une rampe où alternaient des pots de géraniums et des vases de pierre anciens. Une avenue d'aucubas s'amorçait sur la gauche. Elle tourna, suivie du marquis, et disparut derrière le rideau des arbustes.

Au bout d'un moment, on la vit, seule cette fois, qui gravissait d'autres marches escarpées,

tandis que Jean d'Erlemont repassait par le
jardin creux. Enfin, elle reparut, plus haut
encore, sur un terre-plein où il y avait les trois
arches gothiques d'une chapelle démolie et,
au fond, une muraille de lierre qui barrait
l'espace.

Elle s'arrêta. Debout sur un tertre qui lui
faisait comme un piédestal, elle semblait très
grande, de proportions surhumaines et, lorsqu'elle
étendit ses bras et qu'elle se mit à chanter, elle
emplissait de son geste et de sa voix le vaste
cirque de feuillage et de granit que recouvrait
le ciel bleu.

M. et Mme de Jouvelle et leurs invités écou-
taient et regardaient avec des visages contractés,
et cette impression que l'on éprouve lorsque se
forment, au fond de nous, des souvenirs que l'on
sait inoubliables. Le personnel du château, le
personnel de la ferme qui touchait d'un côté
aux murs du domaine, et une dizaine de paysans
du village voisin, s'étaient groupés à toutes
les portes et à tous les coins des massifs, et
chacun sentait toute la qualité de la minute
présente.

Ce qu'Elisabeth Hornain chantait, on ne le
savait pas trop. Cela s'élevait et se répandait en
notes graves, amples, tragiques parfois, mais pal-
pitantes d'espoir et de vie. Et soudain...

Mais il faut bien se rappeler que la scène se

passait dans une sécurité absolue et qu'il n'y avait aucune raison, humainement possible, pour qu'elle ne se continuât pas et ne s'achevât point dans cette même sécurité absolue. Ce qui se produisit fut brusque, immédiat. S'il y eut des différences de sensation parmi les spectateurs, il n'y en eut pas dans la certitude qu'ils eurent tous — et dont ils témoignèrent — que le fait éclata comme une bombe que l'on n'eût ni devinée ni prévue (la même expression se représenta dans les dépositions).

Oui, soudain, il y eut la catastrophe. La voix magique s'interrompit, net. La statue vivante qui chantait là-bas dans l'espace clos vacilla sur son piédestal de ruines et, d'un coup, s'écroula, sans un cri, sans un geste de peur, sans un mouvement de défense ou de détresse. On eut tout de suite, de façon irrévocable, la conviction qu'il n'y avait ni lutte ni agonie, et que l'on n'arriverait pas auprès d'une femme qui mourait, mais auprès d'une femme que la mort avait frappée dès la première seconde.

De fait, quand on parvint à l'esplanade supérieure, Elisabeth Hornain gisait, inerte, livide... Congestion ? Crise cardiaque ? Non. Du sang coulait, abondamment, sur le haut de son épaule nue et sur sa gorge.

On le vit aussitôt, ce sang rouge qui s'épanchait. Et l'on constata en même temps cette

chose incompréhensible que quelqu'un formula
en un cri de stupeur :

« Les colliers ont disparu ! »

Il serait fastidieux de rappeler les détails d'une
enquête pour laquelle, à l'époque, tout le monde
se passionna. Enquête inutile d'ailleurs, et rapidement terminée. Les magistrats et les policiers
qui la conduisirent se heurtèrent dès le début
à une porte close, contre laquelle tous leurs
efforts furent vains. Tous ils eurent l'impression
profonde qu'il n'y avait rien à faire. Un crime,
un vol. Voilà tout.

Car le crime était indiscutable. On ne retrouva certes ni arme, ni projectile, ni assassin.
Mais quant à nier le crime, personne n'y songea.
Sur quarante-deux assistants, cinq affirmèrent
avoir vu une lueur, quelque part, sans que les
cinq affirmations concordassent sur l'emplacement et sur la direction de cette lueur. Les
trente-sept autres n'avaient rien vu. De même
trois personnes prétendirent avoir entendu le
bruit sourd d'une détonation tandis que les
trente-neuf autres n'avaient rien entendu.

En tout cas, le fait même du crime demeurait en dehors de toute discussion puisqu'il y
avait eu blessure. Et blessure terrible, effroyable, la blessure qu'eût provoquée au sommet
de l'épaule gauche, juste au bas du cou, une

balle monstrueuse. Une balle ? Mais il eût
fallu que le meurtrier fût perché dans les ruines, à un endroit plus élevé que la chanteuse,
et que cette balle eût pénétré profondément
dans la chair et eût causé des ravages internes,
ce qui n'était point.

On eût dit plutôt que la plaie, d'où le sang
s'était épanché, avait été creusée par un ins-
trument contondant, marteau ou casse-tête. Mais
qui avait manié ce marteau ou ce casse-tête ?
et comment un tel geste avait-il pu rester invisible ?

Et, d'autre part, qu'étaient devenus les colliers ? S'il y avait eu crime et s'il y avait eu vol,
qui avait commis l'un et l'autre ? Et quel miracle avait permis à l'agresseur de s'échapper,
alors que quelques domestiques, postés à certaines fenêtres du dernier étage, n'avaient pas
quitté des yeux la chanteuse, l'esplanade où elle
chantait, son corps quand elle tombait, son cadavre quand elle gisait sur le sol ? alors que tous
ces gens eussent vu, sans aucun doute, les allées
et venues d'un homme, sa fuite entre les massifs, sa course éperdue ?... alors que, par-derrière,
le décor des ruines plongeait en une falaise
abrupte qu'il était matériellement impossible
d'escalader ou de descendre ?...

S'était-il couché sous le lierre, ou dans quelque trou ? On chercha durant deux semaines.

On fit venir de Paris un jeune policier, ambitieux et tenace, Gorgeret, qui avait déjà réussi des coups de maître. Peines perdues. Investigations sans résultat. L'affaire fut classée, au grand ennui de Gorgeret, qui se promit bien de ne jamais l'abandonner.

Effarés par ce drame, M. et Mme de Jouvelle quittèrent Volnic en annonçant leur volonté formelle de n'y jamais revenir. Le château fut à vendre, tout meublé, tel qu'il était.

Quelqu'un l'acheta, six mois plus tard. On ne sut pas qui, maître Audigat, le notaire, ayant négocié la vente en grand secret.

Tous les domestiques, les fermiers, les jardiniers, reçurent leur congé. Seule la grosse tour, sous laquelle passait la voûte cochère, fut habitée par un individu d'un certain âge qui s'y installa avec sa femme : Lebardon, ancien gendarme. Mis à la retraite, il avait accepté ce poste de confiance.

Les gens du village essayèrent vainement de le faire parler : leur curiosité fut déjouée. Il montait la garde âprement. Tout au plus remarqua-t-on que, à diverses reprises, peut-être une fois par an, et à des époques différentes, un monsieur arrivait le soir en automobile, couchait au château, et repartait le lendemain dans la nuit. Le propriétaire, sans doute, qui venait s'entretenir avec Lebardon. Mais aucune

certitude. On n'en sut pas davantage de ce
côté.

Onze ans plus tard, le gendarme Lebardon
mourait.

Sa femme demeura seule dans la tour d'entrée.
Aussi peu bavarde que son mari, elle ne dit
rien de ce qui se passait dans le château. Mais
s'y passait-il quelque chose ?

Et quatre ans encore s'écoulèrent.

II

CLARA LA BLONDE

GARE Saint-Lazare. Entre les grilles qui défendent l'accès des quais et les issues qui conduisent au grand hall des Pas-Perdus, le flot des voyageurs allait et venait, se divisait en courants de départs et d'arrivées, tourbillonnait en remous éperdus, s'écoulait précipitamment vers les portes et vers les passages. Des disques, munis d'aiguilles immobiles, indiquaient des points de destination. Des employés vérifiaient et poinçonnaient les tickets.

Deux hommes, qui ne semblaient pas participer à cette hâte fiévreuse, déambulaient entre les groupes, de l'air distrait de deux promeneurs dont les préoccupations étaient absolument étrangères aux bousculades de la foule. L'un, gros et puissant, de visage peu sympathique, d'expression dure; l'autre frêle, étriqué; tous deux coiffés de chapeaux melons, la figure barrée de moustaches.

Ils s'arrêtèrent auprès d'une issue où le dis-
que ne signalait rien et où quatre employés
attendaient. Le plus maigre des deux hommes
s'approcha et demanda poliment :

« A quelle heure arrive le train de 15 h 47 ? »
L'employé répondit d'un ton narquois :

« A 15 h 47. »
Le gros monsieur haussa les épaules comme
s'il déplorait la bêtise de son compagnon, et à
son tour questionna :

« C'est bien le train de Lisieux, n'est-ce pas ?
— Le train 368, en effet, lui fut-il répondu.
Il sera là dans dix minutes.
— Pas de retard ?
— Pas de retard. »
Les deux promeneurs s'éloignèrent et s'ap-
puyèrent contre un pilier.

Il s'écoula trois, puis quatre, puis cinq minutes.

« C'est embêtant, dit le gros monsieur, je ne
vois pas le type qu'on doit nous envoyer de la
Préfecture.
— Vous avez donc besoin de lui ?
— Parbleu ! S'il n'apporte pas le mandat d'a-
mener, comment veux-tu qu'on agisse avec la
voyageuse ?
— Peut-être qu'il nous cherche ? Peut-être
qu'il ne nous connaît pas ?
— Idiot ! Qu'il ne te connaisse pas, toi,

Flamant, tout naturel... Mais, moi, Gorgeret,
l'inspecteur principal Gorgeret, qui, depuis
l'affaire du château de Volnic, est toujours sur la
brèche ! »

Le nommé Flamant, vexé, insinua :

« L'affaire du château de Volnic, c'est vieux.
Quinze ans !

— Et le cambriolage de la rue Saint-Honoré ?
Et la souricière où j'ai pris le grand Paul, est-ce
que ça remonte aux Croisades ? Pas même deux
mois !

— Vous l'avez pris... vous l'avez pris... n'empêche qu'il court toujours, le grand Paul...

— N'empêche que j'avais si bien combiné
mon truc que c'est encore moi qu'on mobilise.
Tiens, regarde si l'ordre de service ne me désigne pas nommément ? »

Il tira de son portefeuille un papier qu'il
déplia et qu'ils lurent ensemble.

Préfecture de Police   4 juin.
   Ordre de Service
      (Urgent)

*La maîtresse du grand Paul, la dénommée
Clara la Blonde, a été vue dans le train 368,
arrivant de Lisieux à 15 h 47. Envoyer immédiatement l'inspecteur principal Gorgeret. Un
mandat d'amener lui sera transmis gare Saint-
Lazare, avant arrivée train.*

Signalement de la demoiselle : bandeaux blonds ondulés, yeux bleus. Entre 20 et 25 ans. Jolie. Vêtue simplement. Tournure élégante.

« Tu vois... mon nom est inscrit. Comme c'est moi qui me suis toujours occupé du grand Paul, alors on m'a chargé de sa bonne amie.

— Vous la connaissez ?

— Mal. Tout de même, j'ai eu le temps de l'aviser quand j'ai démoli la porte de la chambre où je l'avais prise en souricière avec le grand Paul. Seulement, j'ai eu de la déveine ce jour-là. Pendant que je le ceinturais, elle a sauté par la fenêtre. Et, tandis que je courais après elle, le grand Paul s'est cavalé.

— Vous étiez donc tout seul ?

— Nous étions trois. Mais le grand Paul a commencé par estourbir les deux autres.

— C'est un rude type !

— N'empêche que je le tenais !...

— A votre place, je ne l'aurais pas lâché.

— A ma place, mon bonhomme, t'aurais été estourbi, comme les deux autres. D'ailleurs, tu es réputé comme idiot. »

C'était là un argument décisif dans la bouche de l'inspecteur principal Gorgeret, pour qui ses subalternes étaient tous des idiots et qui, lui, se targuait d'être infaillible et d'avoir toujours le dernier mot dans les luttes entreprises.

Flamant parut s'incliner et prononça :

« Somme toute, vous avez eu de la chance. Le drame de Volnic pour commencer... Aujourd'hui, vos histoires avec le grand Paul et Clara... Savez-vous ce qui manque à votre collection ?

— Quoi ?

— C'est l'arrestation d'Arsène Lupin.

— Je l'ai raté deux fois d'une seconde, celui-là, bougonna Gorgeret, et la troisième sera la bonne. Pour le drame de Volnic, j'ai toujours un œil sur l'affaire... comme j'ai l'œil sur le grand Paul. Quant à Clara la Blonde... »

Il saisit le bras de son collègue.

« Attention ! voici le train...

— Et vous n'avez pas le mandat !... »

Gorgeret lança un coup d'œil circulaire. Personne ne venait vers lui. Quel contretemps !

Là-bas, cependant, tout au bout d'une des lignes, le poitrail massif d'une locomotive débouchait. Le train s'allongea peu à peu, le long du quai, puis stoppa. Les portières s'ouvrirent et des grappes de gens envahirent le trottoir.

A la sortie, le flot des voyageurs se canalisa et s'étira sous l'action des contrôleurs. Gorgeret empêcha Flamant d'avancer. A quoi bon ? C'était la seule issue et les groupes étaient contraints de se désagréger. Chaque personne passait à son tour. En ce cas, comment ne pas apercevoir une

femme dont le signalement était aussi nettement
déterminé ?

De fait, elle apparut et la conviction des deux
policiers fut immédiate. C'était bien elle, la
femme signalée. C'était, sans qu'on pût en douter, celle qui s'appelait Clara la Blonde.

« Oui, oui, murmura Gorgeret. Je la reconnais. Ah ! gredine, tu n'y couperas pas. »

La figure était vraiment jolie, mi-souriante,
mi-effarée, avec des bandeaux blonds ondulés,
des yeux dont le bleu vif se distinguait de loin,
et des dents dont la blancheur éclatait ou se
cachait selon le mouvement d'une bouche qui
semblait toujours prête à rire.

Elle avait une robe grise, avec un col de linge
blanc qui lui donnait un aspect de petite pen-
sionnaire. L'attitude était discrète, comme si
elle eût tâché de se dissimuler. Elle portait une
valise de dimensions restreintes, et un sac à main,
les deux objets propres mais fort modestes.

« Votre billet, mademoiselle ?

— Mon billet ? »

Ce fut toute une affaire. Son billet ? Où l'avait-
elle serré ? Dans une poche ? Dans son sac ? Dans
sa valise ? Intimidée, gênée par les gens qu'elle
faisait attendre et qui s'amusaient de son embarras, elle déposa sa valise, ouvrit son sac, et, finalement, retrouva son billet épinglé sous le pare-
ment d'une de ses manches.

Alors, se frayant un chemin entre la double haie qui s'était formée, elle passa.

« Crebleu ! grogna Gorgeret, quelle tuile de n'avoir pas le mandat ! Ce qu'on la pigerait !

— Pigez-la tout de même.

— T'es bête ! On va la suivre. Et pas de fausse manœuvre, hein ? On lui colle aux talons. »

Gorgeret était trop avisé pour « coller aux talons » d'une jeune personne qui lui avait déjà filé entre les doigts avec tant de malice et dont il ne fallait pas éveiller la méfiance. Il se tint à distance, constata l'hésitation — feinte ou naturelle — de Clara la Blonde, qui cherchait à se diriger comme quelqu'un qui pénètre pour la première fois dans la salle des Pas-Perdus. Elle n'osait pas se renseigner et s'en allait à la dérive vers un but ignoré. Gorgeret murmura :

« Rudement forte !

— En quoi ?

— Elle ne me fera pas croire qu'elle ne sait pas comment on sort de la gare ! Donc, si elle hésite, c'est qu'elle pense qu'on peut la suivre et qu'il faut prendre des précautions.

— De fait, observa Flamant, elle a l'air comme si elle était traquée. Gentille d'ailleurs... Et ce qu'elle est gracieuse !...

— T'emballe pas, Flamant ! C'est une fille très courue. Le grand Paul en est fou. Tiens, voilà qu'elle a trouvé l'escalier... Pressons. »

Elle descendit et arriva dehors, devant la cour de Rome. Elle appela un taxi.

Gorgeret se hâta. Il la vit qui tirait de son sac une enveloppe dont elle lut l'adresse au chauffeur. Bien qu'elle parlât bas, il entendit :

« Conduisez-moi au 63 du quai Voltaire. »

Et elle monta. A son tour, Gorgeret héla une voiture. Mais, au même moment, l'émissaire de la Préfecture qu'il attendait si impatiemment, l'accosta.

« Ah ! c'est vous, Renaud ? dit-il. Vous avez le mandat ?

— Voici », fit l'agent.

Et il donna quelques explications supplémentaires dont on l'avait chargé pour Gorgeret.

Quand celui-ci fut libre, il s'avisa que le taxi qu'il avait appelé s'était éloigné et que le taxi de Clara avait tourné au coin de la place.

Il perdit encore trois ou quatre minutes. Mais que lui importait ! Il connaissait l'adresse !

« Chauffeur, dit-il à celui qui se présenta, conduisez-nous quai Voltaire, au n° 63. »

Quelqu'un avait rôdé autour des deux inspecteurs, depuis l'instant même où, postés contre le pilier, ils surveillaient l'arrivée du train 368. Un homme assez âgé, au visage maigre et poilu, au teint basané, vêtu d'un

pardessus olivâtre trop long et rapiécé. Cet
homme réussit, sans être remarqué des inspecteurs, à se faufiler près de la voiture au moment où Gorgeret énonçait l'adresse.

A son tour, il sauta dans un taxi et ordonna :
« Chauffeur, au n° 63 du quai Voltaire. »

III

LE MONSIEUR DE L'ENTRESOL

LE 63 du quai Voltaire est un hôtel particulier qui dresse le long de la Seine sa vieille façade grise à très hautes fenêtres. Le rez-de-chaussée presque tout entier et les trois quarts de l'entresol sont occupés par les magasins d'un antiquaire et par ceux d'un libraire. Au premier étage et au second, c'est le vaste et luxueux appartement du marquis d'Erlemont, dont la famille possède l'immeuble depuis plus d'un siècle. Fort riche jadis, quelque peu gêné maintenant à la suite des spéculations, il a dû restreindre son train de maison et réduire son personnel.

C'est la raison pour laquelle il avait distrait de l'entresol un menu logement indépendant, composé de quatre pièces, que son homme d'affaires consent à louer quand un amateur a la délicatesse de lui offrir un sérieux pot-de-vin. A cette époque, et depuis un mois, le locataire était un M. Raoul, qui ne couchait que rarement et ne venait guère qu'une heure ou deux chaque après-midi.

Il habitait au-dessus de la loge de la concierge et au-dessous des pièces qui servaient au secrétaire du marquis. On entrait dans un vestibule obscur, qui conduisait dans le salon. A droite, une chambre, à gauche, la salle de bain.

Cet après-midi-là, le salon était vide. Des meubles peu nombreux, et qu'il semblait qu'on eût réunis au petit bonheur, le garnissaient. Aucun arrangement. Aucune intimité. Une impression de campement, où des circonstances passagères vous ont amené, et que le caprice du moment vous fera quitter à l'improviste.

Entre les deux fenêtres, qui avaient vue sur l'admirable perspective de la Seine, un fauteuil tournait le dos à la porte d'entrée, haussant son vaste dossier à capitons.

Tout contre ce fauteuil, à droite, un petit guéridon supportait un coffret qui avait l'apparence d'une cave à liqueurs.

Une horloge plantée contre le mur, dans une gaine étroite, sonna quatre fois. Deux minutes s'écoulèrent. Puis, au plafond, il y eut trois coups frappés, à intervalles réguliers, comme les trois coups qui annoncent, au théâtre, le lever du rideau. Trois coups encore. Puis, soudain, retentit quelque part, du côté de la cave à

liqueurs, un timbre précipité, comme celui du
téléphone, mais discret, étouffé.

Un silence.

Et tout recommença. Trois coups de talon.
Le grelottement sourd du téléphone. Mais,
cette fois, l'appel ne prit pas fin et continua à
jaillir de la cave à liqueurs comme d'une boîte
à musique.

« Crebleu de crebleu de crebleu ! » grogna
dans le salon la voix éraillée de quelqu'un qui
s'éveille.

Un bras surgit lentement, à la droite du vaste
fauteuil tourné vers les fenêtres, un bras qui
s'allongea vers le coffret du guéridon, un bras
dont la main souleva le couvercle du coffret et
saisit le récepteur téléphonique qui se trouvait
logé à l'intérieur.

Le récepteur fut amené de l'autre côté du
dossier, et la voix, plus nette, du monsieur
invisible qui se vautrait dans le creux du fauteuil, grommela :

« Oui, c'est moi, Raoul... Tu ne peux donc
pas me laisser dormir, Courville ? Quelle idée
stupide j'ai eue de mettre en communication
ton bureau et le mien ! Tu n'as rien à me dire,
n'est-ce pas ? Flûte, je dors. »

Il raccrocha. Mais les coups de talon et l'appel téléphonique fonctionnèrent de nouveau.
Alors, il céda et un dialogue en sourdine

s'établit entre M. Raoul, de l'entresol, et le
sieur Courville, secrétaire du marquis d'Erlemont.

« Parle... dégoise... Le marquis est chez lui ?

— Oui, et le sieur Valthex vient de le quitter.

— Valthex ! Valthex, aujourd'hui encore !
Sacrebleu ! le personnage m'est d'autant plus
antipathique qu'il poursuit évidemment le
même but que nous, et que ce but il doit
le connaître; tandis que, nous, nous l'ignorons.
As-tu entendu quelque chose à travers la porte ?

— Rien.

— Tu n'entends jamais rien. Alors, pourquoi me déranges-tu ? Laisse-moi dormir, sacrebleu ! Je n'ai rendez-vous qu'à cinq heures, pour
aller prendre le thé avec la magnifique Olga. »

Il referma. Mais la communication avait dû
le réveiller tout à fait, car il alluma une cigarette, sans néanmoins quitter le creux de son
fauteuil.

Des ronds de fumée bleue montaient au-dessus
du dossier. L'horloge marquait quatre heures dix.

Et, brusquement, un coup de timbre électrique, qui venait du vestibule, de la porte d'entrée. Et en même temps, entre les deux fenêtres, sous la corniche, un panneau glissa, sous
l'action, évidemment, d'un mécanisme com-
mandé par le coup de timbre.

Un espace en forme de rectangle, de la lon-
gueur d'un petit miroir, fut découvert, un petit
miroir illuminé comme un écran de cinéma
et qui réfléchissait le visage charmant d'une
jeune fille blonde aux bandeaux ondulés.

M. Raoul bondit, en chuchotant :

« Ah ! la jolie fille ! »

Il la regarda une seconde. Non, décidément,
il ne la connaissait pas... il ne l'avait jamais
vue.

Il fit jouer un ressort qui ramena le panneau. Ensuite il se regarda, à son tour, dans
une autre glace qui lui renvoya l'image agréable d'un monsieur de trente-cinq ans environ,
bien découplé, de tournure élégante, et de
mise impeccable. Un monsieur de cette sorte
peut recevoir avec avantage la visite de n'importe quelle jolie fille.

Il courut au vestibule.

La visiteuse blonde attendait, une enveloppe
à la main, une valise près d'elle sur le tapis
du palier.

« Vous désirez, madame ?

— Mademoiselle », dit la personne à voix
basse.

Il reprit :

« Vous désirez, mademoiselle ?

— C'est bien ici le marquis d'Erlemont ? »

M. Raoul comprit que la visiteuse se

trompait d'étage. Tandis que la jeune fille
avançait de deux ou trois pas dans le vestibule,
il saisit la valise et répliqua, avec aplomb :

« C'est moi-même, mademoiselle. »

Elle s'arrêta au seuil du salon, et murmura,
décontenancée :

« Ah !... on m'avait dit que le marquis
était... d'un certain âge...

— Je suis son fils, affirma froidement
M. Raoul.

— Mais il n'a pas de fils...

— Pas possible ? En ce cas, mettons que je
ne sois pas son fils. Ça n'a d'ailleurs aucune
importance. Je suis au mieux avec le marquis
d'Erlemont, quoique je n'aie pas l'honneur de
le connaître. »

Habilement, il la fit entrer . et referma la
porte.

Elle protesta :

« Mais, monsieur, il faut que je m'en aille...
je me suis trompée d'étage.

— Justement... Reprenez haleine... L'escalier
est abrupt comme une falaise... »

Il avait un air si allègre et des manières si
dégagées qu'elle ne put s'empêcher de sourire,
tout en essayant de sortir du salon.

Mais, à ce moment, le même coup de timbre
retentit sur le palier, et de nouveau l'écran
lumineux apparut, entre les deux fenêtres,

offrant un visage maussade, barré d'une grosse
moustache.

« Zut ! la police ! s'écria M. Raoul, qui éteignit l'écran. Qu'est-ce qu'il vient faire ici, celui-
là ? »

La jeune fille s'inquiétait, confondue par
l'apparition de cette tête.

« Je vous en prie, monsieur, laissez-moi partir.

— Mais c'est l'inspecteur principal Gorgeret ! un vilain coco ! une rosse !... dont la
bobine ne m'est pas inconnue... Il ne faut pas
qu'il vous voie et il ne vous verra pas...

— Il m'est tout à fait indifférent qu'il me
voie, monsieur... Je désire m'en aller.

— A aucun prix, mademoiselle. Je ne veux
pas que vous soyez compromise...

— Je ne serai pas compromise.

— Si, si... Tenez, veuillez passer dans ma
chambre. Non ?... Alors, quoi, il faut bien
cependant... »

Il se mit à rire, assailli d'une idée qui l'amu-
sait, offrit galamment sa main à la jeune fille,
et la fit asseoir dans le vaste fauteuil.

« Ne bougez pas, mademoiselle. Ici vous
êtes à l'abri de tous les regards, et, dans trois
minutes, vous serez libre. Si vous ne voulez
pas ma chambre comme refuge, vous acceptez
bien un fauteuil, n'est-ce pas ? »

Elle obéit malgré elle, tant son air joyeux et bon enfant se mêlait de décision et d'autorité.

Il eut un léger sautillement sur place, comme pour manifester son contentement. L'aventure s'annonçait sous les couleurs les plus agréables. Il alla ouvrir.

L'inspecteur Gorgeret entra, d'un bond, suivi par son collègue Flamant, et il cria aussitôt, d'un ton brutal :

« Il y a une dame ici. La concierge l'a vue passer et l'a entendue sonner. »

M. Raoul l'empêcha doucement d'avancer, et lui dit avec beaucoup de politesse :

« Puis-je savoir ?...

— Inspecteur principal Gorgeret, de la Police judiciaire.

— Gorgeret ! s'exclama M. Raoul, le fameux Gorgeret ! celui qui a presque arrêté Arsène Lupin !

— Et qui compte bien l'arrêter un jour ou l'autre, dit l'inspecteur en se rengorgeant. Mais, pour aujourd'hui, il s'agit d'autre chose... ou plutôt d'un autre gibier. Une dame est montée, n'est-ce pas ?

— Une blonde ? fit Raoul, très jolie ?

— Si l'on veut...

— Alors, ce n'est pas cela. Celle dont je parle est très jolie, remarquablement jolie...

le sourire le plus délicieux... le visage le plus frais...

— Elle est ici ?

— Elle sort d'ici. Il n'y a pas trois minutes qu'elle a sonné et m'a demandé si j'étais M. Frossin, demeurant au numéro 63 du *boulevard* Voltaire. Je lui ai expliqué son erreur et lui ai donné les indications nécessaires pour se rendre au *boulevard* Voltaire. Elle est repartie aussitôt.

— Quelle déveine ! bougonna Gorgeret qui, machinalement, regarda autour de lui, jeta un coup d'œil distrait sur le fauteuil tourné, et scruta les portes.

— J'ouvre ? proposa M. Raoul.

— Inutile. Nous la retrouverons là-bas.

— Avec vous, inspecteur Gorgeret, je suis tranquille.

— Moi aussi », dit naïvement Gorgeret.

Et il ajouta, en remettant son chapeau :

« A moins qu'elle n'ait manigancé quelque tour de sa façon... Ça m'a l'air d'une fieffée coquine !

— Une coquine, cette admirable blonde ?

— Enfin quoi, tout à l'heure, à la gare Saint-Lazare, je l'ai presque cueillie à l'arrivée du train où elle était signalée... Et voilà deux fois qu'elle se défile.

— Elle m'a paru si posée, si sympathique ! »

Gorgeret eut un mouvement de protestation et jeta, malgré lui :

« Une sacrée femme, que je vous dis ! Savez-vous qui c'est ? La maîtresse du grand Paul, tout simplement.

— Hein ? le fameux bandit ? cambrioleur... assassin peut-être... Le grand Paul, que vous avez presque arrêté ?

— Et que j'arrêterai, comme sa maîtresse, comme cette fouine de Clara la Blonde.

— Pas possible ! la jolie blonde, ce serait cette Clara dont les journaux ont parlé et que l'on recherche depuis six semaines...

— Elle-même. Et vous comprenez que la prise a de la valeur. Tu viens, Flamant ? Alors, monsieur, pour l'adresse, nous sommes d'accord, il s'agit de M. Frossin, 63, *boulevard* Voltaire ?

— Parfaitement, c'est l'adresse qu'elle m'a donnée. »

M. Raoul le conduisit et, très aimable, déférent :

« Bonne chance, lui dit-il, en se penchant sur la rampe de l'escalier. Et, tandis que vous y êtes, arrêtez aussi le sieur Lupin. Tout ça, c'est fripouille et compagnie. »

Quand il rentra dans le salon, la jeune fille s'y tenait debout, un peu pâle, avec une certaine anxiété.

« Qu'avez-vous donc, mademoiselle ?

— Rien... rien... Seulement, voilà des hommes qui m'attendaient à la gare !... j'étais signalée !...

— Alors, vous êtes bien Clara la Blonde, la maîtresse du fameux grand Paul ? »

Elle haussa les épaules.

« Je ne sais même pas qui est le grand Paul.

— Vous ne lisez donc pas les journaux ?

— Rarement.

— Et votre nom de Clara la Blonde ?

— Je l'ignore. Je m'appelle Antonine.

— En ce cas, que craignez-vous ?

— Rien. Tout de même, on voulait m'arrêter... on voulait... »

Elle s'interrompit, et sourit, comme si elle eût compris soudain la puérilité de son émoi, et elle dit :

« J'arrive bien de ma province, n'est-ce pas et je perds la tête à la première complication possible. Adieu, monsieur.

— Etes-vous donc si pressée ? Un moment, j'ai tant de choses à vous dire ! que vous avez un sourire de joie... un sourire affolant... avec des coins de lèvres qui remontent.

— Je n'ai rien à entendre, monsieur. Adieu !

— Comment ! Je viens de vous sauver, et...

— Vous m'avez sauvée ?

— Dame ! prison... cour d'assises... échafaud.

Ça mérite quelque chose. Combien de temps restez-vous chez le marquis d'Erlemont ?

— Une demi-heure, peut-être...

— Eh bien, je vous surveille au passage, et nous prenons le thé ici, en bons camarades.

— Le thé ici ! oh ! monsieur, vous profitez d'une erreur... Je vous en prie. »

Elle levait sur lui des yeux si francs qu'il sentit l'inconvenance de son offre, et n'insista pas.

« Que vous le vouliez ou non, mademoiselle, le hasard nous remettra en présence l'un de l'autre... et j'aiderai au hasard. Il y a de ces rencontres qui ont inévitablement un lendemain... beaucoup de lendemains... »

S'arrêtant sur le palier, il la regarda remonter l'étage. Elle se retourna pour lui envoyer de la main un salut gentil, et il se disait :

« Oui, elle est adorable... Ah ! ce sourire frais ! Mais que va-t-elle faire chez le marquis ?... Et puis, que fait-elle dans la vie ? Quel est le mystère de son existence ? Elle, la maîtresse du grand Paul ! Qu'elle ait été compromise en même temps que le grand Paul, possible... Mais, la maîtresse du grand Paul... Il n'y a que la police pour inventer de telles bourdes !... »

Tout de même, il songea que Gorgeret, après s'être cassé le nez au 63 du boulevard Voltaire, aurait peut-être l'idée de revenir et qu'il y

avait risque de rencontre entre lui et la jeune
fille. Cela, à tout prix, il fallait l'éviter.

Mais, tout à coup, comme il rentrait dans
son appartement, il se frappa le front en mar-
mottant : « Saperlotte ! J'oubliais... »

Et il se mit à courir vers le téléphone, non
dissimulé celui-là, qui correspondait avec la
ville.

« Vendôme 00-00 ! Allô !... Dépêchons nous,
mademoiselle. Allô !... C'est la maison de cou-
ture Berwitz... La reine est ici, n'est-ce pas ?
(*s'impatientant*). Je vous demande si Sa Majesté
est là... Elle est en train d'essayer ? Eh bien,
prévenez-la que M. Raoul est au téléphone... »

Et il reprit impérieusement :

« Pas d'histoires, n'est-ce pas ?... Je vous
enjoins de prévenir Sa Majesté ! Sa Majesté
serait fort mécontente si on ne la prévenait
pas ! »

Il attendit en tapotant l'appareil d'un geste
nerveux. Là-bas, au bout du fil, quelqu'un se
présenta. Il appela :

« C'est toi, Olga ? Ici, Raoul. Hein ? quoi ?
tu as lâché ton essayage ?... et tu es à moitié
nue ? Eh bien, tant mieux pour ceux qui ont
pu te surprendre au passage, magnifique Olga.
Tu as les plus belles épaules de l'Europe cen-
trale. Mais je t'en prie, Olga, ne roule pas les *r*
comme ça !... Ce que je veux te dirrre ?... Allons,

bon, j'en fais autant... Eh bien, voilà, je ne puis
pas venir prendre le thé... Mais non, chérrrie.
Calme-toi. Il n'y a pas de femmes là-dessous.
C'est un rendez-vous d'affairrres... Voyons, tu
n'es pas rrraisonnable... Voyons, mon chou
aimé... Tiens, ce soirrr... à dîner... je viendrai
te prendre ?... D'accorrrd... ma chèrrre Olga... »

Il ferma et, rapidement, vint se poster derrière sa porte entrebâillée.

IV

LE MONSIEUR DU PREMIER

Assis devant le bureau de son cabinet de travail, vaste pièce encombrée de livres qu'il lisait peu mais dont il aimait les belles reliures, le marquis d'Erlemont rangeait des papiers.

Depuis le drame terrible du château de Volnic, Jean d'Erlemont avait pris plus d'âge que ne le comportaient ces quinze années d'intervalle. Les cheveux étaient blancs, des rides creusaient le visage. Ce n'était plus le beau d'Erlemont qui, jadis, ne rencontrait pas de cruelles. Il avait encore grand air, et se tenait droit, mais sa physionomie, jadis animée par le désir de plaire, était devenue grave et quelquefois soucieuse. Ennuis d'argent, pensait-on autour de lui, dans les cercles et dans les salons où il fréquentait. Cependant on ne savait trop rien, Jean d'Erlemont se montrant peu enclin aux confidences.

Il entendit qu'on sonnait à l'entrée. Il écouta.

Ayant frappé, le valet de chambre vint lui dire qu'une jeune personne demandait à être reçue.

« Je regrette, dit-il, je n'ai pas le temps. »

Le domestique sortit, puis revint.

« Cette personne insiste, monsieur le marquis. Elle dit qu'elle est la fille de Mme Thérèse, de Lisieux, et qu'elle apporte une lettre de sa mère. »

Le marquis hésita un moment. Il cherchait à se souvenir et répétait en lui-même : « Thérèse... Thérèse... »

Puis il répondit vivement :

« Faites entrer. »

Il se leva aussitôt et marcha au-devant de la jeune fille qu'il accueillit avec bonne grâce, les mains tendues.

« Soyez la bienvenue, mademoiselle. Je n'ai certes pas oublié votre mère... Mais, mon Dieu, comme vous lui ressemblez ! Les mêmes cheveux... la même expression un peu timide... et surtout le même sourire que l'on aimait tant en elle !... Alors, c'est votre mère qui vous envoie ?

— Maman est morte, monsieur, il y a cinq ans. Elle vous avait écrit une lettre que je lui avais promis de vous apporter... au cas où j'aurais besoin d'un appui. »

Elle parlait posément, son gai visage assombri de tristesse, et, comme elle offrait l'enveloppe où sa mère avait inscrit l'adresse, il ouvrit, jeta un coup d'œil sur la lettre, tressaillit, et, s'éloignant un peu, lut :

« *Si vous pouvez faire quelque chose pour ma fille, faites-le... en souvenir d'un passé qu'elle connaît, mais où elle croit que vous n'avez joué que le rôle d'un ami. Je vous supplie de ne pas la détromper. Antonine est très fière, comme je l'ai été, et ne vous demandera que le moyen de gagner sa vie. Soyez remercié. —* Thérèse. »

Le marquis demeura silencieux. Il se rappelait la délicieuse aventure, si joliment commencée, dans cette ville d'eaux du centre de la France où Thérèse accompagnait comme institutrice une famille anglaise. Ç'avait été pour Jean d'Erlemont un de ces caprices aussitôt finis qu'ébauchés, durant lesquels sa nature insouciante à l'époque, et fort égoïste, ne l'incitait guère à se pencher pour connaître celle qui se livrait à lui avec un tel abandon et une telle confiance. Le souvenir vague de quelques heures, c'est tout ce que sa mémoire avait conservé. Est-ce que, pour Thérèse, l'aventure aurait été quelque chose de plus sérieux et qui avait engagé toute sa vie ? Après la rupture brutale et sans explication, avait-il laissé derrière lui de la douleur, une existence brisée, et cette enfant ?...

Il n'avait jamais su. Elle ne lui avait jamais écrit. Et voilà que cette lettre surgissait du passé dans les conditions les plus troublantes... Très ému, il se rapprocha de la jeune fille, et lui demanda :

« Quel âge avez-vous, Antonine ?

— Vingt-trois ans. »

Il se domina. Les dates coïncidaient. Il répéta, d'une voix assourdie :

« Vingt-trois ans !

Pour ne pas retomber au silence, et pour satisfaire au vœu de Thérèse en détournant les soupçons de la jeune fille, il dit :

« J'ai été l'ami de votre mère, Antonine, et l'ami, le confident de celui...

— Ne parlons pas de cela, je vous en prie, monsieur.

— Votre mère a donc gardé un mauvais souvenir de cette époque ?

— Ma mère se taisait à ce propos.

— Soit. Un mot cependant. La vie n'a pas été trop dure pour elle ? »

Elle répliqua fermement :

« Elle a été très heureuse, monsieur, et m'a donné toutes les joies. Si je viens aujourd'hui, c'est que je ne m'entends plus avec les personnes qui m'avaient recueillie.

— Vous me raconterez tout cela, mon enfant. Ce qu'il y a de plus urgent aujourd'hui, c'est de s'occuper de votre avenir. Que désirez-vous ?

— N'être à la charge de personne.

— Et ne dépendre de personne ?

— Je ne crains pas d'obéir.

— Que savez-vous faire ?

— Tout et rien.

— C'est beaucoup et peu. Voulez-vous être ma secrétaire ?

— Vous avez un secrétaire ?

— Oui, mais je me méfie de lui. Il écoute aux portes et il fouille dans mes papiers. Vous prendrez sa place.

— Je ne veux prendre la place de personne.

— Bigre, c'est difficile, alors », dit en riant le marquis d'Erlemont.

Assis l'un près de l'autre, ils causèrent un bon moment, lui attentif et affectueux, elle détendue, avec insouciance, mais aussi avec des instants de réserve qui le déconcertaient un peu et qu'il ne comprenait pas. A la fin, il obtint de la jeune fille qu'elle ne le pressât point trop et lui laissât le temps de la mieux connaître et de réfléchir. Il devait s'en aller le lendemain en auto pour un voyage d'affaires. Après quoi, il passerait une vingtaine de jours à à l'étranger. Elle accepta de l'accompagner dans son voyage en auto.

Elle lui donna, sur un bout de papier, l'adresse de la pension de famille où elle avait l'intention de descendre à Paris, et il fut convenu que le matin suivant il irait la chercher.

Dans l'antichambre, il lui embrassa la main. Comme par hasard, Courville passait. Le marquis dit simplement :

« A bientôt, mon enfant. Vous viendrez me revoir, n'est-ce pas ? »

Elle reprit sa petite valise et descendit. Elle semblait heureuse, allègre, et comme sur le point de chanter.

Ce qui se passa ensuite fut si imprévu et si rapide qu'elle ne perçut qu'une série d'impressions incohérentes qui la bouleversèrent. Aux dernières marches de l'étage — la cage de l'escalier était assez obscure — elle entendit un bruit de voix qui disputaient devant la porte de l'entresol, et quelques mots lui parvinrent.

« Vous vous êtes payé ma tête, monsieur... le 63 du boulevard Voltaire n'existe pas...

— Pas possible, monsieur l'inspecteur ! Mais le boulevard Voltaire existe bien, n'est-ce pas ?

— En outre, je voudrais savoir ce qu'est devenu un papier important que j'avais dans ma poche quand je suis venu ici.

— Un mandat ? contre la demoiselle Clara ? »

La jeune fille eut le grand tort, quand elle reconnut la voix de l'inspecteur Gorgeret, de pousser un cri, et de continuer son chemin au lieu de remonter en silence le second étage. L'inspecteur principal entendit le cri, se retourna, vit la fugitive et voulut sauter sur elle.

Il en fut empêché par deux mains qui saisirent ses poignets et qui tentaient de l'entraîner vers l'intérieur du vestibule. Il résista, sûr de lui, car il était d'une stature et d'une musculature autrement puissantes que celles de son adversaire inopiné. Cependant, il eut la stupeur, non seulement de ne pouvoir lui échapper, mais d'être contraint à l'obéissance la plus passive. Furieux, il protestait :

« Allez-vous me ficher la paix, vous ?...

— Mais il faut me suivre, scandait M. Raoul... Le mandat est chez moi, et vous me l'avez réclamé.

— Je m'en fous, du mandat.

— Pas moi ! pas moi ! Il faut que je vous le rende. Vous l'avez réclamé.

— Mais, nom de Dieu ! la petite s'esbigne pendant ce temps !

— Votre copain n'est donc pas là ?

— Dans la rue, oui, mais il est si bête ! »

Subitement, il se trouva transporté dans le vestibule et bloqué par une porte close. Il trépignait de rage et mâchonnait d'affreux jurons. Il cogna contre la porte, puis attaqua la serrure.

Mais ni la porte ne céda, ni la serrure, qui semblait d'un genre spécial et dont la clef tournait indéfiniment, ne livra son secret.

« Voici votre mandat, monsieur l'inspecteur principal », dit M. Raoul.

Gorgeret fut sur le point de le saisir au collet.

« Vous avez du toupet, vous ! Ce mandat était dans la poche de mon pardessus, à ma première visite.

— Il en est tombé, sans doute, formula calmement M. Raoul. Je l'ai trouvé ici, par terre.

— Des blagues ! En tout cas, vous ne nierez pas que vous vous êtes fichu de moi avec votre boulevard Voltaire et que, quand vous m'avez expédié là-bas, la petite n'était pas loin d'ici ?

— Beaucoup plus près, même.

— Hein ?

— Elle était dans cette pièce.

— Qu'est-ce que vous dites ?

— Sur ce fauteuil, qui vous tourne le dos.

— Eh bien, vrai ! Eh bien, vrai ! répéta Gorgeret en se croisant les bras. Elle était sur ce fauteuil... et vous avez osé ?... Enfin, quoi, vous êtes fou ? Qui vous a permis ?...

— Mon bon cœur, répondit M. Raoul d'un ton doucereux. Voyons, monsieur l'inspecteur, vous aussi, vous êtes un brave homme.

Vous avez peut-être une femme, des enfants...
Et vous auriez livré cette jolie blonde pour
qu'on la jette en prison ! Allons donc ! A ma
place... vous auriez agi de même, et vous
m'auriez envoyé balader au *boulevard* Voltaire,
avouez-le. »

Gorgeret suffoquait :

« Elle était là ! La maîtresse du grand Paul
était là ! C'est une sale affaire pour vous, mon
petit monsieur.

— Une sale affaire pour moi si vous prouvez
que la maîtresse du grand Paul était là. Mais
c'est précisément ce qu'il faut démontrer.

— Mais puisque vous l'avouez...

— En tête-à-tête, oui, et les yeux dans les
yeux. Sinon... bernique.

— Mon témoignage d'inspecteur principal...

— Allons donc, on n'a jamais le courage de
proclamer qu'on a été roulé comme un collégien. »

Gorgeret n'en revenait pas. Qu'est-ce que
c'était que ce « coco »-là, qui semblait prendre
plaisir à le braver ? Il eut envie de l'interroger, de lui demander son nom et ses papiers.
Mais il se sentait dominé d'étrange façon par
ce singulier personnage. Il dit simplement :

« Ainsi, vous êtes un ami de la maîtresse
du grand Paul ?

— Moi ? je l'ai vue trois minutes.

— Alors ?

— Alors elle me plaît.

— Et c'est un motif suffisant ?...

— Oui. Je ne veux pas qu'on embête les gens qui me plaisent. »

Gorgeret serra son poing et le brandit dans la direction de M. Raoul, lequel, sans s'émouvoir, se hâta vers la porte du vestibule et en fit fonctionner la serrure du premier coup, comme si c'eût été la serrure la plus complaisante du monde.

L'inspecteur enfonça son chapeau sur sa tête et sortit par cette porte grande ouverte, le torse bombé, la figure crispée, en homme qui saura bien attendre, et trouver l'heure de la revanche.

Cinq minutes plus tard, après avoir constaté, par la fenêtre, que Gorgeret et son collègue s'en allaient lentement, ce qui impliquait que la jolie blonde ne courait plus aucun danger jusqu'à nouvel ordre — après avoir doucement frappé au plafond, M. Raoul introduisait chez lui le sieur Courville, secrétaire du marquis d'Erlemont, et tout de suite l'empoignait :

« Tu as vu là-haut une jolie femme blonde ?

— Oui, monsieur, le marquis l'a reçue.

— Tu as écouté ?

— Oui.

— Et qu'est-ce que tu as entendu ?

— Rien.

— Idiot ! »

Raoul employait souvent à l'égard de Courville le même mot que Gorgeret avec Flamant. Mais le ton restait affable, nuancé de sympathie. Courville était un gentleman vénérable, à barbe blanche toute carrée, et à cravate blanche forme papillon, toujours vêtu d'une redingote noire, l'air d'un magistrat de province ou d'un chef de cérémonies funèbres. Il s'exprimait avec une correction parfaite, de la mesure dans les termes, et une certaine pompe dans l'intonation.

« M. le marquis et cette jeune personne se sont entretenus d'une voix que l'ouïe la plus fine n'eût point perçue.

— Mon vieux, interrompit Raoul, tu as une éloquence de sacristain qui m'horripile. Réponds, mais ne parle pas. »

Courville s'inclina, en homme qui considérait toutes les rebuffades comme autant de marques d'amitié.

« Monsieur Courville, reprit Raoul, je n'ai pas l'habitude de rappeler aux gens les services que je leur ai rendus. Cependant je puis dire que, sans te connaître, et sur l'excellente impression que me faisait ta vénérable barbe blanche, j'ai pu d'abord te sauver de la misère ainsi

que ta vieille mère et que ton vieux père, et
ensuite t'offrir à mes côtés une situation de
tout repos.

— Monsieur, ma gratitude envers vous n'a
pas de bornes.

— Tais-toi. Je ne parle pas pour que tu me
répondes, mais parce que j'ai un petit discours
à placer. Je continue. Employé par moi à
diverses besognes, tu avoueras loyalement que
tu t'en es acquitté avec une maladresse insigne
et une inintelligence notoire. Je ne m'en plains
pas, mon admiration pour ta barbe blanche et
ta bobine de parfait honnête homme n'ayant
subi aucun déchet. Mais je constate. Ainsi, dans
le poste où je t'ai mis depuis quelques semaines, afin de protéger le marquis d'Erlemont
contre les intrigues qui le menacent, dans ce
poste où ta mission consistait tout bonnement
à explorer les tiroirs secrets, à recueillir les
papiers équivoques et à écouter les conversa-
tions, à quoi es-tu arrivé ? à peau-de-zébie. Bien
plus, il est hors de doute que le marquis se méfie
de toi. Enfin, chaque fois que tu utilises notre
installation téléphonique particulière, tu choisis
le moment où je dors pour me révéler d'incroya-
bles niaiseries. Dans ces conditions...

— Dans ces conditions, vous me donnez mes
huit jours, fit Courville piteusement.

— Non, mais je prends l'affaire en main, et

je la prends parce que s'y trouve mêlée la plus
ravissante enfant aux cheveux d'or que j'aie
jamais rencontrée.

— Puis-je vous rappeler, monsieur, l'existence de Sa Majesté la reine Olga ?

— Je me fous de Sa Majesté la reine de Borostyrie. Rien ne compte plus pour moi qu'Antonine, dite Clara la Blonde. Il faut que tout
cela marche rondement, que je sache ce que
complote le sieur Valthex, en quoi consiste
le secret du marquis, et pourquoi survient ino-
pinément aujourd'hui la soi-disant maîtresse
du grand Paul.

— La maîtresse ?...

— N'essaie pas de comprendre.

— Qu'est-ce que je dois essayer de comprendre ?

— La vérité sur le rôle exact que tu joues
près de moi. »

Courville murmura :

« J'aimerais mieux ne pas savoir...

— La vérité ne doit jamais faire peur, dit
Raoul sévèrement. Sais-tu qui je suis ?

— Non.

— Arsène Lupin, cambrioleur. »

Courville ne broncha pas. Peut-être pensa-t-il
que M. Raoul eût dû lui épargner cette révélation, mais aucune révélation, si dure qu'elle
fût pour sa probité, ne pouvait atténuer ses

sentiments de reconnaissance, ni diminuer à ses yeux le prestige de M. Raoul.

Et Raoul poursuivit :

« Apprends donc que je me suis jeté dans l'aventure Erlemont comme toutes les fois... sans savoir où je vais, et sans rien connaître des événements, m'engageant sur un indice quelconque et, pour le reste, me fiant à ma bonne étoile et à mon flair. En l'occurrence, je savais par mon service de renseignements que la ruine d'un sieur d'Erlemont, qui vendait, un à un, ses châteaux et ses domaines de province, ainsi que quelques-uns des livres les plus précieux de sa bibliothèque, suscitait dans quelques milieux de la noblesse un certain étonnement. En effet, d'après mon enquête, le grand-père maternel du sieur Erlemont, voyageur acharné, sorte de conquistador intrépide, possesseur de domaines immenses aux Indes, ayant titre et rang de nabab, était revenu en France avec la réputation d'un multimillionnaire. Il mourait presque aussitôt, laissant ses richesses à sa fille, mère du marquis actuel.

« Qu'étaient devenues ces richesses ? On aurait pu supposer que Jean d'Erlemont les avait dissipées, bien que son train de maison eût été toujours fort raisonnable. Mais voilà que le hasard m'a livré un document qui semble donner une autre explication. C'est une

lettre, aux trois quarts déchirée, pas très récente
d'aspect, et où, parmi des détails secondaires,
il est écrit, sous la signature du marquis :

« La mission dont je vous ai chargé ne
« paraît pas sur le point d'aboutir. L'héritage de
« mon grand-père demeure toujours introu-
« vable. Je vous rappelle les deux clauses de
« notre convention : discrétion absolue et une
« part de dix pour cent pour vous, avec maxi-
« mum de un million... Mais, hélas ! j'ai fait
« appel à votre agence dans l'espoir d'un résul-
« tat rapide, et le temps passe... »

« Sur ce bout de lettre, aucune date, aucune
adresse. Il s'agissait évidemment d'une agence
de renseignements, mais quelle agence ? Je n'ai
pas perdu à la rechercher un temps précieux,
trouvant beaucoup plus efficace de collaborer
avec le marquis et de t'installer sur place. »

Courville risqua :

« Ne pensez-vous pas, monsieur, qu'il eût
été plus efficace encore, puisque vous aviez décidé
cette collaboration, d'en parler au marquis, et
de lui dire que, moyennant dix pour cent, vous
vous faisiez fort ?... »

Raoul le foudroya du regard :

« Idiot ! Une affaire où l'on propose un
million d'honoraires à une agence doit être d'un
ordre de grandeur de vingt ou trente millions.
A ce prix-là, je marche.

— Cependant, votre collaboration ?...

— Ma collaboration consiste à prendre tout.

— Mais le marquis ?...

— Il aura les dix pour cent. C'est une aubaine inespérée pour lui, célibataire et sans enfants. Seulement, il faut que je mette la main à la pâte moi-même. Conclusion : quand peux-tu m'introduire chez le marquis ? »

Courville fut troublé et objecta timidement :

« C'est bien grave. Ne croyez-vous pas, monsieur, qu'il y a là de ma part, vis-à-vis du marquis ?...

— Une trahison... je te l'accorde. Que veux-tu, mon vieux, le destin te place cruellement entre ton devoir et ta reconnaissance, entre le marquis et Arsène Lupin. Choisis. »

Courville ferma les yeux et répondit :

« Ce soir, le marquis dîne en ville et ne rentrera qu'à une heure du matin.

— Les domestiques ?

— Ils habitent l'étage supérieur, comme moi.

— Donne-moi ta clef. »

Nouveau débat de conscience. Jusque-là, Courville avait pu s'imaginer qu'il concourait à assurer la protection du marquis. Mais livrer la clef d'un appartement, faciliter un cambriolage, se prêter à une formidable escroquerie... l'âme délicate de Courville hésitait.

Raoul tendit la main. Courville donna la clef.

« Merci, fit Raoul qui se divertissait diaboliquement à jouer avec les scrupules de Courville. A dix heures, enferme-toi dans ta chambre. Au cas où il y aurait alerte chez les domestiques, tu descendrais me prévenir. Mais c'est bien peu probable. A demain. »

Courville parti, Raoul s'installa pour sortir et dîner avec la magnifique Olga. Mais il s'endormit et ne se réveilla qu'à dix heures et demie. Il bondit alors sur le téléphone et réclama le Trocadéro-Palace.

« Allô... allô... le Trocadéro-Palace ? Donnez-moi l'appartement de Sa Majesté... Allô... allô... Qui est-ce qui est au téléphone ?... La dactylographe ?... C'est toi, Julie ? Comment vas-tu, chérie ? Dis donc, la reine m'attend, hein ?... Passe-moi la reine... Ah ! dis donc, tu m'embêtes... Si je t'ai placée près de la reine, ce n'est pas pour rouspéter... Vite, préviens-la... (*Un silence et Raoul reprend.*) Allô... allô... C'est toi, Olga ?... Figure-toi, chérie, que mon rendez-vous s'est prolongé... D'ailleurs, je suis ravi, l'affaire est réglée. Mais non, ma chérrrie, ce n'est pas ma faute... Veux-tu qu'on déjeune ensemble vendrrredi ?... J'irrrai te prrrendre... Tu ne m'en veux pas, hein ? Tu sais que tu passes avant tout... Ah ! ma chèrrre Olga !... »

V

CAMBRIOLAGE

Pour ses expéditions nocturnes, Arsène Lupin
ne revêt jamais de costume spécial, couleur
sombre, couleur gris foncé. « J'y vais comme
je suis, dit-il, les mains dans mes poches, sans
armes, le cœur aussi paisible que si j'allais
acheter des cigarettes, et la conscience aussi
à l'aise que si j'allais accomplir une œuvre
charitable. »

Tout au plus lui arrive-t-il d'exécuter quelques exercices d'assouplissement, de sautiller sur
place sans faire de bruit, ou de marcher dans
les ténèbres sans renverser d'objets. C'est ce
qu'il fit ce soir-là, et avec succès. Tout allait
bien. Il était en forme et capable, moralement
et physiquement, de faire face à toutes les
éventualités.

Il mangea quelques gâteaux secs, avala un
verre d'eau et s'engagea dans la cage de l'escalier.

Il était onze heures et quart. Nulle clarté. Pas de bruit. Aucun risque de rencontrer un locataire puisqu'il n'y en avait pas, ni un domestique puisqu'ils étaient couchés et que Courville veillait là-haut. Quel plaisir d'opérer dans de telles conditions de sécurité ! Pas même le petit ennui de fracturer une porte ou de forcer une serrure : il possédait la clef. Pas même le tracas de s'orienter : il possédait un plan.

Il entra donc, comme chez lui, et, comme chez lui, après avoir suivi le couloir qui menait au cabinet de travail, il alluma l'électricité de cette pièce. On ne travaille bien qu'en pleine lumière.

Une grande glace placée entre les deux fenêtres lui renvoya son image qui venait à sa rencontre. Il se salua et fit des grâces, ayant un esprit fantaisiste qui le disposait à se jouer la comédie pour lui seul plus encore que pour les autres.

Puis il s'assit et regarda. On ne doit pas perdre son temps à s'agiter comme un étourneau, à vider fiévreusement des tiroirs et à bouleverser une bibliothèque. Non, il faut réfléchir, scruter du regard avant tout, établir les justes proportions, jauger les capacités, mesurer les dimensions. Tel meuble ne devrait pas normalement avoir telles lignes. Tel fauteuil n'a pas cet aspect d'emprunt. Les cachettes échappent à un Courville : pour un Lupin, il n'y a pas de secrets.

Au bout de dix minutes de cette contemplation attentive, il alla droit au bureau, s'agenouilla, en palpa le bois satiné, en étudia les baguettes de cuivre. Puis il se releva, esquissa quelques gestes de prestidigitateur, ouvrit un tiroir, l'enleva complètement, appuya d'un côté, poussa de l'autre, prononça des paroles et claqua de la langue.

Un déclenchement s'effectua. Un second tiroir jaillit de l'intérieur.

Il claqua de nouveau de la langue, en pensant :

« Fichtre ! quand je m'y mets !... Et dire que cette gourde de barbe blanche n'a rien découvert en quarante jours, alors que quarante secondes m'ont suffi. Quel bonhomme je fais ! »

Mais encore fallait-il que sa découverte eût une signification et un résultat. Au fond, ce qu'il espérait, c'était la lettre apportée au marquis par la jeune Antonine. Il vit tout de suite qu'elle ne s'y trouvait pas.

D'abord, dans une grande enveloppe jaune, une dizaine de billets de mille francs. Cela, c'était sacré. On ne rafle pas l'argent de poche de son voisin, de son propriétaire, d'un représentant de la vieille noblesse française ! Il repoussa l'enveloppe avec dégoût.

Pour le reste, un examen sommaire lui permit de constater qu'il n'y avait là que des lettres et des portraits, lettres de femmes, portraits de femmes. Souvenirs, évidemment. Reliques d'homme à conquêtes, qui n'a pu se décider à brûler les traces d'un passé qui représentait pour lui tout le bonheur et tout l'amour.

Les lettres ? il eût fallu les lire toutes, et chercher dans chacune ce qui pouvait avoir un intérêt. Travail considérable et peut-être inutile, et qu'il eut d'ailleurs quelque scrupule à entreprendre. L'amoureux, le conquérant qu'il était lui-même, se piquait de trop de délicatesse pour entrer brutalement dans l'intimité de ces confidences et de ces aveux de femmes.

Mais comment avoir le courage de ne pas contempler des photographies ? Il y en avait bien une centaine... Aventures d'un jour ou d'une année... Preuves de tendresse ou de passion... Toutes, elles étaient jolies, gracieuses, aimantes et câlines, avec des yeux qui promettaient, des attitudes abandonnées, des sourires qui se rappelaient, de la tristesse parfois, de l'angoisse. Il y avait des noms, des dates, des dédicaces, des allusions à quelque épisode de la liaison. Grandes dames, artistes, midinettes, elles surgissaient ainsi de l'ombre, inconnues les unes des autres, et cependant si proches les unes des autres par le souvenir commun de cet homme.

Raoul ne les examina pas toutes. Au fond du tiroir, une plus grande photographie qu'il devinait sous la double feuille de papier qui la protégeait, attira plus spécialement son attention. Il y passa tout de suite, écarta les deux feuilles, et regarda.

Raoul fut ébloui. Celle-là vraiment était la plus belle, et d'une beauté extraordinaire, où il y avait tout ce qui prête parfois, et si rarement, à la beauté un relief particulier et une expression personnelle. Les épaules nues étaient magnifiques. L'allure, le port de la tête donnaient à croire que cette femme savait se tenir en public, et peut-être paraître en public.

« Une artiste, évidemment », conclut Raoul.

Ses yeux ne se détachaient pas du portrait. Il le tourna, dans l'espoir qu'il y avait une inscription, un nom. Et aussitôt il tressaillit. Ce qui l'avait frappé, dès l'abord, c'était une large signature qui rayait le carton en travers : Elisabeth Hornain, avec ces mots, en dessous : « A toi, jusqu'au-delà de la mort. »

Elisabeth Hornain ! Raoul était trop au courant de la vie mondaine et artistique de son époque pour ignorer le nom de la grande chanteuse, et, s'il ne se rappelait pas le détail précis d'un événement qui s'était produit quinze années plus tôt, il n'en savait pas moins que la belle jeune femme avait succombé aux suites d'une blessure mystérieuse reçue dans un parc où elle chantait en plein air.

Ainsi donc, Elisabeth Hornain comptait au nombre des maîtresses, et la façon dont le marquis conservait sa photographie et la tenait séparée des autres montrait la place qu'elle avait occupée dans sa vie.

Entre les deux feuilles de papier, d'ailleurs, il y avait, en outre, une petite enveloppe non fermée qu'il examina et dont le contenu l'édifia tout en ajoutant à sa surprise. Trois choses : une boucle de cheveux, une lettre de dix lignes où elle faisait au marquis son premier aveu d'amour et lui accordait un premier rendez-vous, et un autre portrait d'elle avec ce nom qui intrigua fort Raoul : Elisabeth Valthex.

Sur ce portrait, elle était toute jeune fille, et ce nom de Valthex était certainement celui d'Elisabeth avant son mariage avec le banquier Hornain. Les dates ne laissaient pas de doute.

« De sorte que, pensa Raoul, le Valthex actuel, à qui l'on peut octroyer trente ans, serait un parent, neveu ou cousin, d'Elisabeth Hornain, et, c'est ainsi que ledit Valthex est en relations avec le marquis d'Erlemont et lui soutire de l'argent, que le marquis n'a pas le courage de refuser. Son rôle se borne-t-il à celui de « tapeur » ? Obéit-il à d'autres motifs ? Poursuit-il, avec plus d'éléments de succès, le but que je poursuis à tâtons ? Mystère. Mais, en tout cas, mystère que j'éclaircirai puisque me voici au beau milieu de la partie qui se joue. »

Il se remit à ses investigations et reprenait les autres portraits, lorsqu'il advint un fait qui l'interrompit. Du bruit venait de quelque part.

Il écouta. Le bruit était celui d'un léger grincement, que tout autre que Raoul n'eût pas entendu, et cela lui parut provenir de la porte d'entrée principale, sur l'escalier. Quelqu'un avait introduit une clef. Cette clef tourna. La porte fut poussée doucement. Des pas, à peine perceptibles, frôlèrent le couloir qui côtoyait le cabinet de travail.

Donc, on se dirigeait vers ce cabinet de travail.

En cinq secondes, Raoul replaça les tiroirs, éteignit l'électricité. Puis il se dissimula derrière un paravent qui dépliait ses quatre feuilles de laque.

De telles alertes constituaient une joie pour lui. D'abord, joie du danger couru. Ensuite, élément nouveau d'intérêt, espoir de surprendre quelque chose qui lui serait profitable. Car enfin, si une personne étrangère pénétrait furtivement chez le marquis, et que lui, Raoul, pût se rendre compte des raisons de cette visite nocturne, quelle aubaine !

La poignée de la porte fut saisie par une main prudente. Aucun bruit ne marqua la poussée progressive du battant, mais Raoul en devina le mouvement insensible. Le jet d'une lampe électrique de faible puissance jaillit.

A travers une des fentes du paravent, Raoul vit une forme qui avançait. Il eut l'impression, plutôt que la certitude, que c'était une femme, mince, avec une jupe collante. Pas de chapeau.

Cette impression fut confirmée par la manière de marcher, par l'image peu précise de la silhouette. La femme s'arrêta, tourna la tête de droite et de gauche, parut s'orienter. Et elle se dirigea tout droit vers le bureau sur lequel elle promena le jet de la lumière et où, une fois renseignée, elle posa sa lampe.

« Il est hors de doute, songea Raoul, qu'elle connaît la cachette. Elle agit en personne avertie. »

De fait — et durant tout ce temps la figure demeura dans l'ombre —, elle contourna le bureau, se courba, enleva le tiroir principal, manœuvra comme il le fallait, et fit sortir le tiroir intérieur. Alors, elle agit exactement à la façon de Raoul. Elle ne se soucia point des billets de banque et se mit à compulser les photographies, comme si son but avait été de les considérer et d'en découvrir une plus spécialement que les autres.

Elle allait vite. Aucune curiosité ne l'incitait. Elle cherchait d'une main fébrile, une main dont il apercevait la blancheur et la finesse.

Elle trouva. Autant qu'il en put juger, c'était une photographie de grandeur intermédiaire, une treize-dix-huit. Elle la contempla longtemps, puis retourna le carton, lut l'inscription, et poussa un soupir.

Elle était si absorbée que Raoul résolut d'en profiter. Sans qu'elle entendît et sans qu'elle pût voir, il s'approcha du commutateur, observa la silhouette penchée, et d'un coup alluma. Puis, en hâte, il courut vers la femme qui avait jeté un cri d'effroi et qui s'enfuyait.

« Ne te sauve pas, la belle. Je ne te ferai aucun mal. »

Il la rejoignit, la saisit par le bras, puis, brusquement, et malgré sa résistance, lui tourna la tête.

« Antonine ! » murmura-t-il stupéfait, en reconnaissant sa visiteuse involontaire de l'après-midi.

Pas une seconde il n'avait soupçonné la vérité. Antonine, la petite provinciale dont l'air ingénu et les yeux candides l'avaient conquis ! Elle demeurait en face de lui, éperdue, le visage crispé. Et ce dénouement imprévu le troubla si vivement qu'il se mit à ricaner.

« Voilà donc la raison de votre démarche auprès du marquis, tantôt ! Vous étiez venue en reconnaissance... Et puis, ce soir... »

Elle semblait ne pas comprendre, et elle balbutia :

« Je n'ai pas volé... Je n'ai pas touché aux billets...

— Moi non plus... Tout de même nous ne sommes pas venus là pour prier la Sainte Vierge. »

Il lui serrait le bras. Elle tâcha de se dégager, tout en gémissant :

« Qui êtes-vous ? Je ne vous connais pas... »

Il éclata de rire.

« Ah ! ça ce n'est pas gentil. Comment ! après notre entrevue d'aujourd'hui dans mon petit entresol, vous me demandez qui je suis ? Quel manque de mémoire ! Et moi qui croyais avoir fait sur vous tant d'impression, jolie Antonine ! »

Aprement, elle répliqua :

« Je ne m'appelle pas Antonine.

— Parbleu ! je ne m'appelle pas non plus Raoul. On a des noms par douzaines dans notre métier.

— Quel métier ?

— La cambriole ! »

Elle se révolta :

« Non ! non ! moi, une cambrioleuse !

— Dame ! que vous chipiez une photographie plutôt que de l'argent, ça prouve que cette photographie a pour vous de la valeur, et que vous ne pourriez vous la procurer

qu'en opérant à la façon d'une souris d'hôtel...
Montrez-la-moi, cette photo précieuse que vous
avez empochée en me voyant. »

Il essayait de la contraindre. Elle se débattait
dans ces bras puissants qui la pressaient, et,
s'excitant à la lutte, il l'eût embrassée si, par un
sursaut d'énergie, elle n'eût réussi à s'échapper.

« Bigre ! dit-il, on fait sa mijaurée. Qui aurait supposé tant de pudeur chez la maîtresse
du grand Paul ? »

Elle parut bouleversée et chuchota :

« Hein ? Qu'est-ce que vous dites ?... Le grand
Paul... Qui est-ce ?... Je ne sais pas ce que vous
voulez dire.

— Mais si, fit-il en la tutoyant, tu le sais
très bien, ma jolie Clara. »

Elle répéta, de plus en plus troublée :

« Clara... Clara... Qui est-ce ?

— Rappelle-toi... Clara la Blonde ?

— Clara la Blonde ?

— Quand Gorgeret a failli mettre la main
sur toi, tantôt, tu n'étais pas si émue. Allons,
redresse-toi, Antonine ou Clara. Si je t'ai tirée
deux fois cet après-midi des griffes de la police,
c'est que je ne suis pas ton ennemi... Un sourire, jolie blonde... il est si enivrant ton sourire !... »

Une crise de faiblesse la déprimait. Des larmes coulaient sur ses joues pâles, et elle n'avait

plus la force de repousser Raoul qui lui avait
repris les mains et les caressait avec une douceur amicale dont la jeune femme ne pouvait
pas s'effaroucher.

« Calme-toi, Antonine... Oui, Antonine...
j'aime mieux ce nom-là. Si tu as été Clara pour
le grand Paul, pour moi, reste celle que j'ai vue
arriver sous le nom d'Antonine et sous son aspect
de petite provinciale. Combien je te préfère
ainsi ! Mais ne pleure pas... tout s'arrangera !
Le grand Paul te persécute, sans doute, n'est-ce
pas ? et te recherche ?... et tu as peur ? N'aie
pas peur... je suis là... Seulement il faut tout
me raconter... »

Elle murmura, toute défaillante :

« Je n'ai rien à raconter... je ne peux rien
raconter...

— Parle, ma petite...

— Non... je ne vous connais pas.

— Tu ne me connais pas, et cependant tu as
confiance en moi, avoue-le.

— Peut-être... Je ne sais pas pourquoi... Il
me semble...

— Il te semble que je puis te protéger, n'est-
ce pas ? te faire du bien ? Mais pour cela il
faudrait m'aider. Comment as-tu connu le grand
Paul ? Pourquoi es-tu ici ? Pourquoi as-tu cherché ce portrait ? »

Elle dit d'une voix très basse :

« Je vous en supplie, ne m'interrogez pas...
Un jour ou l'autre, je vous dirai.

— Mais c'est tout de suite qu'il faut parler...
Un jour perdu... une heure... c'est beaucoup. »

Il continuait à la caresser sans qu'elle y prît
garde. Cependant, comme il lui embrassait la
main et que ses lèvres remontaient le long du
bras, elle l'implora avec tant de lassitude qu'il
n'insista pas et qu'il cessa de la tutoyer :

« Promettez-moi, dit-il...

— De vous revoir ? Je vous le promets.

— Et de vous confier à moi ?

— Oui.

— En attendant, puis-je vous être utile ?

— Oui, oui, fit-elle vivement. Accompagnez-
moi.

— Vous craignez quelque chose ?... »

Il la sentait qui tremblait, et elle dit sourde-
ment :

« En entrant, ce soir, j'ai eu l'impression
qu'on surveillait la maison.

— La police ?

— Non.

— Qui ?

— Le grand Paul... les amis du grand Paul... »

Elle prononçait ce nom avec terreur.

« Etes-vous certaine ?

— Non... mais il m'a semblé le reconnaître...
assez loin... contre le parapet du quai... J'ai

reconnu aussi son principal complice, qu'on appelle l'Arabe.

— Depuis combien de temps ne l'avez-vous pas vu, le grand Paul ?

— Depuis plusieurs semaines.

— Il ne pouvait donc pas savoir que vous veniez aujourd'hui ?

— Non.

— Alors, que faisait-il là ?

— Lui aussi, il rôde autour de la maison.

— C'est-à-dire autour du marquis ?... Et pour les mêmes raisons que vous ?

— Je ne sais pas... une fois, il a dit devant moi qu'il lui en voulait à mort.

— Pourquoi ?

— Je ne sais pas.

— Vous connaissez ses complices ?

— L'Arabe, seulement.

— Où le retrouve-t-il ?

— Je l'ignore. Peut-être bien dans un bar de Montmartre dont j'ai entendu, un jour, qu'il donnait le nom, tout bas...

— Vous vous rappelez ?

— Oui... les Ecrevisses. »

Il n'en demanda pas davantage. Il avait l'intuition qu'elle ne répondrait plus, ce jour-là.

VI

PREMIER CHOC

« PARTONS, dit-il. Et quoi qu'il arrive, n'ayez pas la moindre peur. Je réponds de tout. »

Il examina si tout était bien en ordre. Puis il éteignit l'électricité, et, prenant la main d'Antonine, afin de la conduire dans l'obscurité, il se dirigea vers l'entrée, referma doucement la porte sur eux et descendit l'escalier avec elle.

Il avait hâte d'être dehors et redoutait que la jeune femme ne se fût trompée, tellement il désirait lutter et s'attaquer à ceux qui la poursuivaient. Cependant cette petite main qu'il tenait était si froide qu'il s'arrêta et la pressa entre les deux siennes.

« Si vous me connaissiez davantage, vous sauriez que le danger n'existe pas quand on est près de moi. Ne bougez pas. Lorsque votre main sera toute chaude, vous verrez comme vous serez tranquille et pleine de courage. »

Ils demeurèrent ainsi, immobiles, et les mains

jointes. Après quelques minutes de silence, elle dit, rassérénée :

« Allons-nous-en. »

Il heurta la porte de la concierge et demanda qu'on lui ouvrît. Ils sortirent.

La nuit était brumeuse, et les lumières se diffusaient dans l'ombre. Il y avait peu de passants à cette heure. Mais tout de suite, avec sa rapidité de coup d'œil, Raoul aperçut deux silhouettes qui traversaient la chaussée et se glissaient sur le trottoir, à l'abri d'une automobile en station, près de laquelle deux autres silhouettes semblaient attendre. Il fut sur le point d'entraîner la jeune femme dans la direction opposée. Mais il se ravisa, l'occasion était trop belle. D'ailleurs, les quatre hommes s'étaient séparés vivement et manœuvraient de façon à les encercler.

« Ce sont eux, sûrement, prononça Antonine qui s'effrayait de nouveau.

— Et le grand Paul, c'est celui qui est si haut monté sur pattes ?

— Oui.

— Tant mieux, dit-il. On s'expliquera.

— Vous n'avez pas peur ?

— Non, si vous ne criez pas. »

A cette minute, le quai était entièrement désert. L'homme « haut sur pattes » en profita. Un de ses amis et lui se rabattirent vers le trottoir. Les deux autres longeaient les murs... Le moteur de l'auto ronfla, actionné sans doute par un chauffeur invisible et qui préparait le démarrage.

Et, soudain, un léger coup de sifflet.

Ce fut brusque. Trois des hommes se précipitèrent sur la jeune femme et cherchèrent à l'entraîner jusqu'à l'auto. Celui qu'on appelait le grand Paul se dressa devant Raoul, lui braquant son revolver sous le nez.

Avant qu'il pût tirer, Raoul, d'un revers de main sur le poignet, le désarma, en ricanant :

« Idiot ! On tire d'abord, on vise après. »

Il rattrapa les trois autres bandits. L'un d'eux se retourna sur le trottoir, juste à temps pour recevoir sur le menton un violent coup de pied qui le fit chanceler et s'écrouler d'un bloc.

Les deux derniers complices ne demandèrent pas leur reste. Se jetant dans l'auto, ils s'enfuirent. Antonine, libérée, se sauva dans l'autre sens, poursuivie par le grand Paul, qui se heurta subitement à Raoul.

« Passage interdit ! s'écria Raoul. Laisse donc filer cette blonde enfant. C'est une vieille histoire qu'il faut que tu oublies, mon grand Paul. »

Le grand Paul essayait quand même de passer, et de trouver une issue à droite ou à gauche de son adversaire. Bien que celui-ci

se plantât partout devant lui, cependant il
tentait encore la chance, tout en refusant le
combat.

« Passera... passera pas... C'est amusant, hein,
de jouer aux gosses ? Il y a un grand garçon,
haut sur pattes, qui voudrait courir, et un plus
petit qui ne veut pas. Et, pendant ce temps, la
demoiselle s'esquive... Maintenant, ça y est...
Plus de danger pour elle... La vraie bataille
commence. Es-tu prêt, grand Paul ? »

D'un bond, il sauta sur l'ennemi, lui saisit les
avant-bras, et l'immobilisa instantanément, en
face de lui.

« Couic ! c'est comme des menottes aux poignets, ça, hein ? Dis donc, grand Paul, vous
n'êtes pas de première dans ta bande. Quels
veaux que tes complices ! Une chiquenaude, et
ça détale. Seulement, c'est pas tout ça, faut que
je voie ta gueule en pleine lumière. »

L'autre se débattait, stupéfait de sa faiblesse
et de son impuissance. Malgré tous ses efforts,
il ne parvenait pas à se débarrasser de ces deux
étreintes qui l'enchaînaient comme des anneaux
de fer, et qui le faisaient souffrir au point qu'il
avait du mal à se tenir debout.

« Allons, plaisantait Raoul... montre ta binette
au monsieur... et pas de grimaces, que je voie
si je te connais... Eh bien, quoi, mon vieux, tu
rouspètes ? Tu refuses de suivre le mouvement ? »

Il le faisait pivoter doucement, comme une masse trop lourde, mais qu'on déplace par petites saccades. Ainsi, qu'il le voulût ou non, le grand Paul tournait d'un côté où le jet de lumière électrique tombait plus précis.

Un effort encore, et Raoul atteignit son but. Il s'exclama, véritablement ahuri en voyant le visage de l'homme :

« Valthex ! »

Et il répéta, avec des éclats de rire :

« Valthex !... Valthex !... Eh bien, vrai, si je m'attendais à celle-là ! Alors, Valthex, c'est le grand Paul ? et le grand Paul, c'est Valtex ? Valthex porte un veston de bonne coupe et un chapeau melon. Paul, un pantalon en tire-bouchon et une casquette. Dieu ! que c'est rigolo ! Tu cultives le marquis et tu es chef de bande. »

Furieux, le grand Paul gronda :

« Moi aussi, je te connais... tu es le type de l'entresol...

— Mais oui... M. Raoul... pour te servir. Et nous voilà tous deux dans la même affaire. T'en as de la déveine ! Sans compter que je m'attribue d'ores et déjà Clara la Blonde. »

Le nom de Clara mit le grand Paul hors de lui.

« Celle-là, je te défends...

— Tu me défends ? Mais regarde-toi, mon

vieux. Quand on pense que tu as une demi-tête
de plus que moi, que tu dois pratiquer tous les
trucs de la boxe et du couteau, et que t'es là,
entre mes pinces, fichu, maté ! Mais rebiffe-toi
donc, flandrin ! Vrai, tu me fais pitié. »

Il le lâcha. L'autre baragouina :

« Voyou ! je te retrouverai.

— Pourquoi me retrouver ? Je suis là. Vas-y.

— Si tu as touché à la petite...

— C'est fait, mon vieux. On est copains, elle
et moi. »

Exaspéré, le grand Paul mâchonna :

« Tu mens ! Ce n'est pas vrai !

— Et nous n'en sommes qu'au début. La
suite au prochain numéro. Je te préviendrai. »

Ils se mesurèrent, l'un tout contre l'autre,
prêts à la bataille. Mais sans doute le grand
Paul jugea-t-il plus prudent d'attendre une occasion meilleure, car il cracha quelques injures,
auxquelles Raoul répondit en riant, et il s'en
alla, sur une dernière menace.

« J'aurai ta peau, mon garçon.

— N'empêche que tu te défiles. A bientôt,
froussard ! »

Raoul le regarda s'éloigner. L'autre boitillait,
ce qui devait être une supercherie du grand
Paul, car Valthex ne boitait pas.

« Il faudra me méfier de ce gaillard-là, se dit
Raoul. Ce sont de ces types qui préparent leurs

mauvais coups. Gorgeret et Valthex... Bigre, ou-
vrons l'œil ! »

Raoul en s'en retournant vers la maison fut
surpris d'apercevoir, assis contre la porte cochère,
un homme qui geignait et en qui il crut reconnaître celui dont il avait labouré le menton d'un
coup de semelle. L'homme, en effet, avait fini
par reprendre connaissance, mais était retombé
plus loin et se reposait.

Raoul l'examina, vit une figure basanée, de
longs cheveux légèrement crépus qui s'échap-
paient de sa casquette, et lui dit :

« Deux mots, camarade. C'est évidemment toi
qu'on appelle l'Arabe dans la bande du grand
Paul. Veux-tu gagner un billet de mille francs ? »

Avec un certain mal, car sa mâchoire était
fort endommagée, l'homme répondit :

« Si c'est pour trahir le grand Paul, rien à
faire.

— A la bonne heure, tu es fidèle, toi. Non,
il ne s'agit pas de lui, mais de Clara la Blonde.
Sais-tu où elle niche ?

— Non. Et le grand Paul non plus.

— Alors pourquoi ce guet-apens devant la
maison du marquis ?

— Elle y est venue tantôt.

— Comment l'a-t-on su ?

— Par moi. Je filais l'inspecteur Gorgeret.
Je l'ai vu qui opérait gare Saint-Lazare, et qui

attendait l'arrivée d'un train. C'était la petite qui rappliquait à Paris, camouflée en fille de province. Gorgeret entendit l'adresse qu'elle donnait à un chauffeur. Moi j'entendis Gorgeret donner l'adresse à un autre chauffeur. Et on est venu ici. Alors, j'ai couru avertir le grand Paul. Et on a monté la garde toute la soirée.

— Le grand Paul soupçonnait donc qu'elle reviendrait ?

— Probable. Il ne me dit jamais rien de ses affaires. Chaque jour, à la même heure, on a rendez-vous dans un bar. Il me donne des ordres, que je communique aux camarades, et que nous exécutons.

— Mille francs de plus si tu en dis davantage.

— Je ne sais rien.

— Tu mens. Tu sais qu'il s'appelle de son vrai nom Valthex, et qu'il mène une double existence. Donc je suis sûr de le retrouver chez le marquis, et je peux le dénoncer à la police.

— Lui aussi il peut vous retrouver. On sait que vous habitez l'entresol et que la petite a été vous voir tantôt. Le jeu est dangereux.

— Je n'ai rien à cacher, moi !

— Tant mieux pour vous. Le grand Paul a de la rancune, et il est toqué de la petite. Méfiez-vous. Et que le marquis se méfie aussi. Le grand Paul a de mauvaises idées de ce côté.

— Lesquelles ?

— Assez parlé.

— Soit. Voilà deux billets. Plus vingt francs pour prendre cette auto qui maraude. »

Raoul fut assez long à s'endormir. Il réfléchissait aux événements de la journée et se plaisait à évoquer l'image séduisante de la jolie blonde. De toutes les énigmes qui compliquaient l'aventure où il se trouvait engagé, celle-là était la plus captivante et la plus inaccessible. Antonine ?... Clara ? ... laquelle de ces deux figures constituait la véritable personnalité de l'être charmant qu'il avait rencontré ? Elle avait à la fois le sourire le plus franc et le plus mystérieux, le regard le plus candide et les yeux les plus voluptueux, l'aspect le plus ingénu et l'air le plus inquiétant. Elle émouvait par sa mélancolie et par sa gaieté. Ses larmes comme son rire provenaient d'une même source fraîche et claire par moments, à d'autres obscures et troubles.

Le lendemain matin, il téléphona au secrétaire Courville.

« Le marquis ?

— Parti ce matin de bonne heure, monsieur. Le valet de chambre lui a amené son auto dont il a emporté les deux valises pleines.

— Donc, une absence ?...

— De quelques jours, m'a-t-il dit, et en

compagnie, j'en ai l'idée, de la jeune femme blonde.

— Mais, il t'a donné une adresse ?

— Non, monsieur, il est toujours assez dissimulé, et s'arrange pour que je ne sache jamais où il va. Cela lui est d'autant plus facile que, *primo*, il conduit lui-même, et *secundo*...

— Que tu n'es qu'une gourde. Ceci posé, je décide d'abandonner l'entresol. Tu enlèveras toi-même l'installation téléphonique particulière, et tout ce qui est compromettant. Après quoi on déménagera en douce. Adieu. Tu n'auras pas de mes nouvelles pendant trois ou quatre jours. J'ai du travail... Ah ! un mot encore. Attention à Gorgeret ! Il pourrait bien surveiller la maison. Méfie-toi. C'est une brute et un vaniteux, mais un entêté, et qui a des lueurs... »

VII

CHATEAU A VENDRE

Le château de Volnic avait gardé son aspect de gentilhommière à tourelles et à vaste bonnet de tuiles roussâtres. Mais quelques-uns des volets pendaient aux fenêtres, démolis et lamentables, beaucoup de tuiles manquaient, la plupart des allées étaient envahies de ronces et d'orties, et la masse imposante des ruines disparaissait sous un amoncellement de lierre qui couvrait le granit des murailles et changeait la forme même des tours et des donjons à demi écroulés.

En particulier, le terre-plein de la chapelle où avait chanté Elisabeth Hornain ne se distinguait plus au milieu de ces ondulations de verdure.

Dehors, sur les murs de la tour d'entrée, à droite et à gauche de la porte massive par où l'on pénétrait dans la cour d'honneur, de grandes affiches annonçaient la mise en vente du château et donnaient le détail des logements, communs, fermes et prairies qui en dépendaient.

Depuis trois mois que ces affiches étaient collées et que des annonces avaient paru dans les journaux de la région, la porte du château s'était souvent ouverte aux heures fixées, pour permettre aux acheteurs éventuels de visiter, et la veuve Lebardon avait dû prendre un homme du pays pour défricher et approprier la terrasse et pour sarcler le chemin qui montait aux ruines. Des curieux étaient venus, en souvenir du drame. Mais la veuve Lebardon, pas plus que le jeune notaire, fils et successeur de maître Audigat, ne s'étaient départis de la consigne de silence jadis imposée. Qui avait acheté autrefois le château et qui le revendait aujourd'hui ? On l'ignorait.

Ce matin-là — le troisième matin après celui où d'Erlemont avait quitté Paris — les volets qui fermaient une des fenêtres du premier étage furent poussés d'un coup, et la tête blonde d'Antonine apparut, une Antonine printanière, vêtue de sa robe grise, coiffée d'une capeline de paille retombant en auréole sur ses épaules, et qui souriait au soleil de juin, aux arbres verts, aux pelouses incultes, au ciel si bleu. Elle appela :

« Parrain !... parrain ! »

Elle apercevait le marquis d'Erlemont qui fumait sa pipe à vingt pas du rez-de-chaussée,

sur un banc vermoulu que protégeait du soleil
un groupe de thuyas.

« Ah ! te voilà levée, s'écria-t-il gaiement. Tu
sais qu'il n'est que dix heures du matin.

— Je dors tellement ici ! Et puis, regardez
ce que j'ai trouvé dans une armoire, parrain...
un vieux chapeau de paille. »

Elle rentra dans sa chambre, descendit l'escalier quatre à quatre, franchit la terrasse, et s'approcha du marquis à qui elle tendit le front.

« Mon Dieu, parrain — alors vous voulez
toujours que je vous appelle parrain ? — mon
Dieu, comme je suis heureuse !... Comme c'est
beau ! Et comme vous êtes bon pour moi ! Tout
à coup, me voilà dans un conte de fées.

— Tu le mérites, Antonine... d'après le peu
que tu m'as raconté de ta vie. Je dis : le peu,
car tu n'aimes guère parler de toi ? »

Une ombre passa sur le clair visage d'Antonine et elle dit :

« Ça n'a pas d'intérêt. Il n'y a que le présent qui compte. Et si ce présent-là pouvait
durer !

— Pourquoi pas ?

— Pourquoi ? parce que le château va être
vendu aux enchères cet après-midi et que demain
soir nous serons à Paris. Quel dommage ! On
respire si bien ici ! On a de la joie plein le
cœur et plein les yeux ! »

Le marquis gardait le silence. Elle passa sa main sur la sienne, et, gentiment :

« Il faut que vous le vendiez, sans doute ?

— Oui, dit-il. Que veux-tu ? Depuis que je l'ai acheté dans un coup de tête à mes amis Jouvelle, je n'y suis pas venu dix fois, et en courant, pour vingt-quatre heures. Alors, comme j'ai besoin d'argent, je me suis décidé, et à moins qu'un miracle ne se produise... »

Il ajouta, en souriant :

« D'ailleurs, puisque tu aimes ce pays, il y aurait un moyen pour toi de l'habiter. »

Elle le regarda, sans comprendre. Il se mit à rire.

« Dame ! Depuis avant-hier, il me semble que le notaire Audigat, fils et successeur de défunt son père, multiplie ses visites. Oh ! je sais, il n'est pas très séduisant, mais, tout de même, il s'est allumé d'un tel feu pour ma filleule !... »

Elle avait rougi.

« Ne me taquinez pas, parrain. Je n'ai même pas remarqué maître Audigat... et la raison pour laquelle ce château m'a plu tout de suite, c'est que vous y étiez avec moi.

— C'est bien vrai ?

— Absolument vrai, parrain. »

Il fut ému. Dès la première heure, cette enfant, qu'il savait être sa fille, avait attendri son cœur quelque peu endurci de vieux célibataire,

et l'avait troublé par ce qu'il sentait en elle de
grâce profonde et d'ingénuité. Il n'était pas non
plus sans être attiré par la sorte de mystère qui
l'enveloppait, par une réticence continuelle sur
les faits de son passé. Très abandonnée à certains moments, et pleine d'élans qui paraissaient
venir d'une nature expansive, elle se reprenait
souvent avec lui, se tenait sur une réserve
déconcertante et semblait indifférente, presque
hostile même, aux attentions et aux égards
de celui qu'elle avait appelé si spontanément
parrain.

Et, chose bizarre, il donnait à la jeune fille,
depuis leur arrivée au château, cette même impression un peu heurtée que causaient des alter-
natives de gaieté et de silence et une certaine
contradiction dans ses actes.

En réalité, quels que fussent la sympathie et
le désir d'affection qui les poussaient l'un vers
l'autre, ils ne pouvaient en si peu de temps
briser tous les obstacles qui s'interposent entre
deux êtres qui ne se connaissent pas. Jean d'Erlemont essayait souvent de la comprendre, et il
la regardait en disant :

« Ce que tu ressembles à ta mère ! Je retrouve
en toi ce sourire qui transforme le visage. »

Elle n'aimait point qu'il parlât de sa mère,
et répondait toujours par d'autres questions.
Ainsi fut-il amené à lui raconter brièvement le

drame du château et la mort d'Elisabeth Hornain, ce qui passionna la jeune fille.

Ils déjeunèrent, servis par la veuve Lebardon.

A deux heures, le notaire, maître Audigat, vint prendre le café et veiller aux préparatifs de la vente aux enchères qui devait s'effectuer à quatre heures, dans un des salons ouverts pour la circonstance. C'était un jeune homme pâle, gauche d'aspect, phraseur et timide, épris de poésie, et qui jetait négligemment dans la conversation des alexandrins spécialement fabriqués par lui, tout en ajoutant : « Comme l'a dit le poète. »

Et il lançait un coup d'œil à la jeune fille pour voir l'effet produit.

Après un long effort de patience, ce petit manège, indéfiniment répété, agaça tellement Antonine qu'elle laissa les deux hommes ensemble et sortit dans le parc.

A l'approche de l'heure fixée pour la vente, la cour principale s'était remplie de monde qui, contournant une des ailes du château, commençait à former des groupes sur la terrasse et devant le jardin creux. C'étaient, pour la plupart, de riches paysans, des bourgeois des petites villes voisines, et quelques gentilshommes de la région. Des curieux surtout, parmi lesquels une demi-douzaine d'acheteurs éventuels, selon les prévisions de maître Audigat.

Antonine rencontra quelques personnes qui profitaient de l'occasion pour visiter les ruines, depuis si longtemps fermées aux touristes. Elle y flâna aussi, telle une promeneuse attirée par le spectacle grandiose. Mais le tintement d'une petite clochette ayant ramené les gens vers le château, elle resta seule et s'aventura par les chemins que l'on n'avait pas nettoyés de leurs herbes et de leurs plantes entrelacées.

Elle s'engagea même à son insu en dehors de tout sentier et gagna ainsi le terre-plein qui entourait le tertre où le crime s'était commis quinze ans auparavant. Si tant est que le marquis lui eût révélé toutes les circonstances de ce drame, elle n'aurait pu en retrouver l'emplacement exact dans le fouillis inextricable que formaient les ronces, les fougères et les rameaux de lierre.

Antonine en sortit avec peine, et soudain, comme elle arrivait à un espace plus libre, elle s'arrêta net en étouffant un cri. A dix pas d'elle, et, comme elle, s'arrêtant net dans un même mouvement de surprise, apparaissait la silhouette d'un homme dont elle n'avait pu oublier, à quatre jours d'intervalle, la stature puissante, les épaules énormes et l'âpre visage.

C'était l'inspecteur Gorgeret.

Si peu qu'elle l'eût entr'aperçu dans l'escalier du marquis, elle ne s'y trompa pas : c'était lui. C'était le policier dont elle avait entendu la voix rude et les intonations hargneuses, celui qui l'avait suivie dans la gare et qui avait annoncé son dessein de mettre la main sur elle.

Le dur visage prit une expression barbare. Un rire méchant tordit sa bouche, et il grogna :

« Ça, c'est de la veine ! La petite blonde que j'ai ratée trois fois l'autre jour... Qu'est-ce que vous faites-là, petite demoiselle ? Alors, vous aussi, vous vous intéressez à la vente du château ? »

Il fit un pas en avant. Effrayée, Antonine eût voulu s'enfuir, mais, outre qu'elle n'en avait pas la force, comment l'aurait-elle pu, acculée aux obstacles qui l'eussent empêchée de courir ?

Il fit un pas de plus, en se moquant.

« Pas moyen de s'enfuir. On est bloquée. Quelle revanche pour Gorgeret, hein ? Voilà que Gorgeret qui depuis tant d'années ne quitte pas de l'œil l'affaire ténébreuse de ce château, et qui n'a pas cru devoir manquer l'occasion de venir fureter ici au jour de la vente, voilà qu'il se trouve nez à nez avec la maîtresse du grand Paul. Si vraiment il y a une providence, vous avouerez qu'elle me protège outrageusement. »

Un pas encore. Antonine se raidissait pour ne pas tomber.

« Il me semble qu'on a peur. On en fait, une grimace ! De fait, la situation est mauvaise, doublement mauvaise, et il va falloir expliquer à Gorgeret en quoi la liaison de Clara la Blonde et du grand Paul se rattache à l'aventure du château et le rôle que le grand Paul joue là-dedans. Tout cela est captivant, et je ne donnerais pas pour beaucoup la position de Gorgeret. »

Trois pas encore. Gorgeret tira de son portefeuille le mandat d'amener qu'il déplia avec un air de raillerie féroce.

« Faut-il vous lire mon petit papier ? Pas la peine, n'est-ce pas ? Vous m'accompagnerez docilement jusqu'à mon auto, et à Vichy on prend le train pour Paris. Vrai, je lâche sans regret la cérémonie des enchères. J'ai levé un gibier qui me suffit. Mais pourquoi diable ?... »

Il s'interrompit. Il se passait quelque chose qui l'intriguait. Toute expression d'épouvante s'effaçait peu à peu du joli visage blond, et l'on eût dit — phénomène incompréhensible — oui, on eût dit qu'un vague sourire commençait à l'éclairer. Etait-ce croyable, et pouvait-on admettre que son regard se détachât de son regard à lui ? Elle n'avait plus son air de bête traquée, d'oiseau fasciné et qui tremble. En vérité, où donc allaient ses yeux, et à qui souriait-elle ?

Gorgeret se retourna :

« Cré bon sang ! murmura-t-il. Qu'est-ce qu'il vient faire, ce client-là ? »

En réalité, Gorgeret n'apercevait, à l'angle d'un pilier, où s'arc-boutaient les vestiges d'une chapelle, qu'un bras qui dépassait, qu'une main qui braquait un revolver de son côté... Mais, étant donné l'apaisement subit de la jeune fille, il ne douta pas une seconde que ce bras et que cette main n'appartinssent à ce M. Raoul qui semblait acharné à la défendre. Clara la Blonde, au château de Volnic, cela supposait la présence du sieur Raoul, et c'était bien dans la façon badine du sieur Raoul que de rester invisible tout en faisant jouer la menace de son revolver.

Gorgeret, d'ailleurs, n'eut pas un instant d'hésitation. Il était fort brave et ne reculait jamais devant le danger. D'autre part, que la petite se sauvât — et elle n'y manqua point — il saurait bien la rattraper dans le parc ou dans le pays. Il s'élança donc en criant :

« Toi, mon bonhomme, tu n'y coupes pas. »

La main disparut. Et lorsque Gorgeret atteignit l'angle du portique, il ne vit qu'un rideau de lierre drapé d'une arcade à l'autre. Il ne ralentit pas sa course cependant, l'ennemi n'ayant pas pu s'évanouir. Mais, à son passage, le bras jaillit du lierre, un bras qui n'agitait pas d'arme, mais qui était muni d'un poing, lequel poing alla frapper directement Gorgeret au menton.

Le coup, précis, implacable, accomplit proprement sa besogne : Gorgeret perdit

l'équilibre et s'effondra, comme s'était effon-
dré l'Arabe sous le choc d'une semelle. Gorgeret ne se rendit compte d'ailleurs de rien. Il
était évanoui.

Essoufflée, Antonine parvint à la terrasse. Le
cœur lui battait si fort qu'elle dut s'asseoir avant
d'entrer dans le château, où tous les visiteurs
prenaient place les uns après les autres. Mais
elle avait tellement confiance dans cet inconnu
qui la défendait qu'elle se remit vivement de
son émotion. Elle était persuadée que Raoul saurait mettre le policier à la raison, sans toute-
fois lui faire du mal. Mais comment Raoul
était-il là, une fois de plus prêt à combattre
pour elle ?

Elle écouta, les yeux fixés sur les ruines, et
plus spécialement sur le côté des ruines où la
rencontre avait dû se produire. Elle n'entendit
aucun bruit, et ses yeux ne virent pas la moindre silhouette et ne découvrirent rien de suspect.

Si rassurée qu'elle fût, elle résolut de se placer de telle sorte qu'elle pût encore échapper
à un retour offensif de Gorgeret et s'enfuir par
quelque autre issue du château. Cependant la
petite cérémonie qui se préparait à l'intérieur
la captiva au point qu'elle oublia tout péril.

Le grand salon s'ouvrait au-delà du vestibule
et d'un cabinet d'attente. Les gens s'étaient

groupés debout autour des quelques personnes à qui le notaire supposait des intentions
d'achat, et qu'il fit asseoir. Sur une table étaient
dressées les trois menues bougies sacramentelles.

Maître Audigat agissait avec solennité et parlait avec emphase. De temps à autre, il s'entretenait avec le marquis d'Erlemont, dont la foule
commençait à connaître la qualité de propriétaire. Un peu avant l'heure, maître Audigat
éprouva le besoin de donner des explications.
Il mit en relief la situation du château, son
importance historique, sa beauté, son pittoresque, la bonne affaire que constituerait l'acquisition.

Puis il rappela le mécanisme des enchères.
Chacune des trois bougies tiendrait allumée environ une minute. On avait donc tout loisir
pour parler avant que s'éteignît la dernière,
mais on risquait gros si l'on attendait trop longtemps.

Quatre heures sonnèrent.

Maître Audigat exhiba une boîte d'allumettes,
en prit une, la frotta et approcha la flamme de
la première des trois bougies; tout cela avec
les gestes d'un prestidigitateur qui va faire sortir une douzaine de lapins d'un chapeau haut de
forme.

La première bougie s'alluma.

Du coup, un grand silence se fit. Les figures

se crispèrent, surtout celles des femmes assises, dont l'expression devint tout à fait particulière, ou trop indifférente, ou douloureuse, ou désespérée.

La bougie s'éteignit. Le notaire prévint.

« Encore deux feux, mesdames et messieurs. »

Une seconde allumette. Une seconde flambée. Une seconde extinction.

Maître Audigat prit une voix lugubre :

« Le dernier feu... Qu'il n'y ait pas de malentendu... Les deux premières bougies ont brûlé. Reste la troisième. Je précise bien que la mise à prix est de huit cent mille francs. Aucune enchère inférieure n'est admise. »

La troisième bougie fut allumée.

Une voix timide énonça :

« Huit cent vingt-cinq. »

Une autre voix riposta :

« Huit cent cinquante. »

Le notaire, parlant pour une dame qui avait esquissé un signe, dit :

« Huit cent soixante-quinze.

— Neuf cents », répliqua un des amateurs...

Puis un silence.

Le notaire s'effara, et répéta précipitamment :

« Neuf cent mille ?... Neuf cent mille ? Personne ne dit mot... Voyons, mesdames et messieurs, c'est un chiffre absurde... Le château... »

Un nouveau silence.

La bougie expirait. Quelques lueurs d'agonie, parmi la cire fondue.

Puis, dans le fond de la salle, du côté du vestibule, une voix articula :

« Neuf cent cinquante. »

La foule s'ouvrit. Un monsieur s'avança, souriant, paisible et sympathique, qui redit tranquillement :

« Neuf cent cinquante mille francs. »

Dès l'abord, Antonine avait reconnu M. Raoul.

VIII

UN ÉTRANGE COLLABORATEUR

MALGRÉ ses prétentions au sang-froid, le notaire fut quelque peu estomaqué. Une enchère double de celles qui ont précédé, cela n'est pas fréquent.

Il murmura :

« Neuf cent cinquante mille francs ?... Personne ne dit mot ?... Neuf cent cinquante ?... Adjugé. »

Tout le monde se pressait autour du nouveau venu. Maître Audigat, inquiet, hésitant, allait lui demander une seconde confirmation et s'informer de son nom, de ses références, etc., quand il comprit au regard de Raoul que ce monsieur-là n'était pas de ceux qui se laissent manœuvrer. Il y a des habitudes et des convenances auxquelles il faut se soumettre. Les explications de cette sorte n'ont pas lieu en public.

Le notaire se hâta donc de pousser les gens dehors afin de réserver le salon pour la conclusion d'une affaire qui se présentait de façon singulière. Quand il revint, Raoul était assis devant la table et, le stylographe en main, signait un chèque.

Un peu plus loin, debout, Jean d'Erlemont et Antonine suivaient ses gestes sans mot dire.

Toujours nonchalant et tranquille, Raoul se leva, et s'adressant au notaire avec la désinvolture d'un monsieur à qui incombe le soin de prendre les décisions :

« Dans un instant, maître Audigat, fit-il, je me permettrai de vous rejoindre à votre étude où il vous sera loisible auparavant d'examiner les pièces que je vais vous confier. Voulez-vous me préciser les renseignements dont vous avez besoin ? »

Le notaire, abasourdi de cette façon d'agir, répliqua :

« Votre nom d'abord, monsieur.

— Voici ma carte : don Luis Perenna, sujet portugais, d'origine française. Voici mon passeport, et toutes références utiles. Pour le règlement, voici un chèque de la moitié, tiré sur la Banque Portugaise de crédit, à Lisbonne, où j'ai mon compte. L'autre moitié vous sera versée à l'époque que M. d'Erlemont voudra bien me fixer à la fin de notre conversation.

— Notre conversation ? demanda le marquis surpris.

— Oui, monsieur, j'aurais plusieurs choses intéressantes à vous communiquer. »

Le notaire, de plus en plus désorienté, fut sur le point de faire quelques objections, car, enfin, qui prouvait qu'il y eût un compte suffisant ? Qui prouvait que, dans l'intervalle nécessaire au paiement du chèque, la provision ne serait pas épuisée ? Qui prouvait ?... Il se tut. Il ne savait trop que dire en face de cet homme, qui l'intimidait et que son intuition personnelle lui montrait comme un monsieur peut-être pas très scrupuleux, en tout cas assez dangereux pour un officier ministériel attaché à la lettre des règlements.

Bref, il jugea prudent de réfléchir, et dit :

« Vous me trouverez à mon étude, monsieur. »

Il s'en alla, sa serviette sous le bras. Jean d'Erlemont, désireux d'échanger quelques mots avec lui, l'accompagna jusqu'à la terrasse. Antonine, qui avait écouté les explications de Raoul avec une agitation visible, voulut également sortir. Mais Raoul avait refermé la porte et repoussa la jeune fille. Troublée, elle courut vers l'autre porte, qui donnait directement sur le vestibule. Raoul la rattrapa et la saisit par la taille.

« Eh bien, quoi, disait-il en riant, vous avez l'air bien farouche, aujourd'hui. Alors, on ne se connaît pas ? Gorgeret écarté tout à l'heure, le grand Paul démoli l'autre nuit, rien de tout cela ne compte plus pour mademoiselle ? »

Il voulut l'embrasser sur la nuque, et n'atteignit que l'étoffe de son corsage.

« Laissez-moi, balbutiait Antonine, laissez-moi... c'est abominable... »

Obstinément tournée vers la porte qu'elle essayait d'ouvrir, elle se débattait avec fureur. Raoul s'irrita, lui enlaça le cou, lui renversa la tête, et chercha brusquement la bouche qui se dérobait.

Elle cria :

« Ah ! quelle honte ! je vais appeler... Quelle honte ! »

Il recula soudain. Les pas du marquis résonnaient sur les dalles du vestibule. Raoul ricana :

« Vous en avez de la veine ! Mais si je m'attendais à cette rebuffade ! Fichtre ! l'autre nuit, dans la bibliothèque du marquis, vous étiez plus souple. On se retrouvera, vous savez, ma jolie. »

Elle n'essayait plus d'ouvrir. Elle recula, elle aussi. Lorsque Jean d'Erlemont entra, il la vit en face de lui, dans une attitude d'hésitation et d'émotion.

« Qu'est-ce que tu as ?

— Rien... rien... dit-elle, encore suffoquée. Je voulais vous parler.

— De quoi ?

— Non... une chose sans importance... je me trompais. Je vous assure, parrain... »

Le marquis se tourna vers Raoul qui écoutait en souriant et qui répondit à son interrogation muette :

« Je suppose que mademoiselle voulait vous parler d'un léger malentendu que je désirais d'ailleurs dissiper moi-même.

— Je ne comprends pas, monsieur, déclara le marquis.

— Voici. J'ai donné mon véritable nom, don Luis Perenna. Mais, pour des raisons personnelles, j'habite à Paris sous un nom d'emprunt, M. Raoul. Et c'est comme tel que j'ai loué chez vous, monsieur, votre entresol du quai Voltaire. Or, l'autre jour mademoiselle a sonné à ma porte au lieu de sonner à la vôtre et je lui ai expliqué son erreur, tout en me présentant sous mon nom d'emprunt. Alors, n'est-ce pas ? aujourd'hui, elle a dû éprouver quelque surprise... »

La surprise de Jean d'Erlemont semblait aussi grande. Que lui voulait ce personnage bizarre dont la conduite était pour le moins assez équivoque et dont l'état civil ne paraissait pas très nettement établi ?

« Qui êtes-vous, monsieur ? Vous avez sollicité de moi un entretien... A quel propos ?

— A quel propos ? dit Raoul qui, jusqu'à la

fin de la conversation, affecta de ne pas tourner les yeux vers la jeune fille. A propos d'une affaire...

— Je ne fais pas d'affaires ! lui jeta d'Erlemont d'une voix cassante.

— Moi non plus, affirma Raoul, mais je m'occupe de celles des autres. »

Cela devenait sérieux. Y avait-il là une amorce de chantage ? la menace d'un ennemi qui allait se découvrir ? D'Erlemont tâta la poche de son revolver, puis consulta du regard sa filleule. Elle écoutait avec une attention anxieuse.

« Soyons brefs, dit-il. Que voulez-vous ?

— Récupérer l'héritage dont vous avez été frustré jadis.

— L'héritage ?

— Celui de votre grand-père, héritage qui a disparu et au sujet duquel vous avez fait faire d'inutiles recherches par une agence.

— Ah ! bien, s'écria le marquis en riant, vous vous présentez comme un agent de renseignements !

— Non, mais comme un amateur qui aime rendre service à ses semblables. J'ai la manie de ces espèces d'enquêtes. C'est une passion, un besoin de savoir, d'éclaircir, de résoudre ces énigmes. En vérité, je ne pourrais pas vous dire à quels résultats surprenants je suis arrivé dans la vie, les problèmes séculaires que j'ai résolus,

les trésors historiques que j'ai mis au jour, les
ténèbres où j'ai jeté la lumière...

— Bravo ! s'écria le marquis avec bonne humeur. Et, bien entendu, une petite commission,
hein ?

— Aucune.

— Vous travaillez gratuitement ?

— Pour mon plaisir. »

Raoul lança ces derniers mots en riant aussi.
Comme il était loin des projets qu'il avait expo-
sés à Courville ! Les vingt ou trente millions
pour lui... dix pour cent abandonnés au marquis... En vérité, son besoin de se faire valoir
et de jouer un beau rôle en face de son interlocuteur, et surtout devant la jeune fille, l'eût
conduit à offrir de l'argent plutôt qu'à en réclamer.

Il allait de long en large, la tête droite, heureux d'avoir barre sur d'Erlemont et de se montrer sous un jour avantageux.

Désorienté, dominé par lui, le marquis prononça sans plus d'ironie :

« Vous avez un renseignement à m'apporter ?

— Au contraire, je viens vous en demander,
dit Raoul gaiement. Mon but est simple : je
vous offre ma collaboration. Voyez-vous, monsieur, dans toutes les entreprises auxquelles je
me consacre, il y a toujours une période de
tâtonnement qui serait beaucoup plus courte si

on voulait bien se confier à moi du premier
coup, ce qui est rare. Je me heurte naturellement à des réticences et à des cachotteries qui
m'obligent à tout découvrir par moi-même. Aussi
que de temps perdu ! Comme vous agiriez dans
votre intérêt si vous consentiez à m'épargner les
fausses pistes et à me dire, par exemple, en quoi
consistait ce mystérieux héritage, et si vous avez
porté plainte !

— C'est tout ce que vous désirez savoir ?

— Fichtre non ! s'écria Raoul.

— Quoi encore ?

— Puis-je parler devant mademoiselle du
drame qui s'est déroulé dans ce château à l'époque où vous n'étiez pas encore propriétaire de
Volnic ? »

Le marquis tressaillit, et répondit sourde-
ment :

« Certes. J'ai parlé moi-même à ma filleule
de la mort d'Elisabeth Hornain.

— Mais sans doute ne lui avez-vous pas confié l'étrange secret que vous avez dissimulé à la
justice ?

— Quel secret ?

— Que vous étiez l'amant d'Elisabeth Hornain. »

Et, sans laisser à Jean d'Erlemont le temps de
se ressaisir, Raoul continua :

« Car c'est cela qui est inexplicable et qui

m'intrigue plus que tout. Une femme est tuée et dépouillée de ses bijoux. On enquête. On vous interroge, comme on interroge tous les assistants. Et vous ne dites pas qu'il y avait liaison entre cette femme et vous ! Pourquoi ce silence ? Et pourquoi, par la suite, avez-vous acheté ce château ? Avez-vous fait des recherches ? Savez-vous quelque chose de plus que ce que je viens de lire dans les journaux du temps ? Enfin y a-t-il un rapport quelconque entre le drame de Volnic et le vol de l'héritage dont vous avez été victime ? Les deux affaires ont-elles eu la même origine, les mêmes développements, les mêmes acteurs ? Voilà les questions, monsieur, auxquelles je voudrais des réponses précises qui me permettraient d'aller de l'avant. »

Un long silence suivit. L'hésitation du marquis aboutit à une volonté si manifeste de ne rien dire que Raoul haussa légèrement les épaules.

« Quel dommage ! s'écria-t-il, et combien je regrette que vous vous dérobiez ! Vous ne comprenez donc pas qu'une affaire n'est jamais classée ? Elle se poursuit d'elle-même dans l'esprit des gens qui y sont mêlés, ou qui, par suite d'un intérêt personnel que vous ignorez, s'acharnent à en tirer bénéfice. Cette idée ne vous donne pas à réfléchir ? »

Il s'assit près du marquis, et, scandant ses phrases, martelant ses mots, il prononça : .

« De ces tentatives isolées qui tournent autour de votre passé, j'en connais quatre, monsieur. La mienne, qui m'a conduit d'abord dans l'entresol du quai Voltaire, puis dans ce château que j'ai acheté pour qu'un autre ne l'achetât pas, tellement je désirais devenir maître des recherches. Et d'un ! Ensuite, il y a Clara la Blonde, l'ancienne maîtresse du grand Paul, le fameux bandit, Clara la Blonde qui a pénétré l'autre nuit dans votre bibliothèque de Paris et qui a fracturé le tiroir secret de votre bureau pour fouiller parmi des photographies. Et de deux ! »

Raoul fit une pause. Avec quel soin il évitait de regarder la jeune fille, et, penché vers le marquis, concentrait toute son attention sur lui ! Les yeux dans les yeux, profitant du désarroi de Jean d'Erlemont, il articula à voix basse :

« Passons au troisième larron, voulez-vous ?... au plus dangereux sûrement... Passons à Valthex. »

Le marquis sursauta.

« Valthex ? Que dites-vous ?

— Oui, Valthex, le neveu ou le cousin, en tout cas, le parent d'Elisabeth Hornain.

— Absurde ! Impossible ! protesta d'Erlemont. Valthex est un joueur, un débauché,

d'une moralité douteuse, je veux bien, mais
lui, dangereux ? Allons donc ! »

Toujours face au marquis, Raoul continua :
« Valthex a un autre nom, monsieur, un
sobriquet plutôt, sous lequel il est très connu
dans le monde du crime.

— Le monde du crime ?

— Valthex est recherché par la police.

— Impossible !

— Valthex n'est autre que le grand Paul. »

L'agitation du marquis fut extrême. Il suffoquait et s'indignait :

« Le grand Paul ? le chef de bande ?... Voyons,
c'est inadmissible... Valthex n'est pas le grand
Paul... Comment pouvez-vous prétendre ?... Non,
non, Valthex n'est pas le grand Paul !

— Valthex n'est autre que le grand Paul,
répéta Raoul, implacable. La nuit dont je vous
parle, je savais que le grand Paul, posté sur le
quai avec ses complices, épiait son ancienne
amie. Quand Clara sortit de chez vous, il voulut l'enlever... J'étais là. Je me suis battu avec
lui, et, le voyant en pleine face, j'ai reconnu
Valthex dont je surveillais depuis un mois la
manœuvre autour de vous. Et de trois ! Passons
au quatrième intrus : la police... la police qui,
officiellement, a renoncé, mais qui s'obstine dans
la personne têtue et vindicative de l'inspecteur
qui, jadis, fut ici l'auxiliaire impuissant du

Parquet : je veux dire l'inspecteur principal Gorgeret. »

Deux fois, Raoul venait de risquer un coup d'œil du côté de la jeune fille. Il la discernait mal, Antonine étant placée à contre-jour, mais, comme il devinait son émotion, l'angoisse que devait lui infliger ce récit où son rôle à elle, son rôle mystérieux, était mêlé si étroitement !

Le marquis, que les révélations de Raoul semblaient troubler au plus profond de lui, hocha la tête.

« Je me souviens de ce Gorgeret, quoiqu'il ne m'ait jamais interrogé. Je ne pense pas qu'il ait connu les relations qui m'unissaient à Elisabeth Hornain.

— Non, affirma Raoul. Mais, lui aussi, il a lu quelque annonce de la vente, et il est venu.

— Vous en êtes sûr ?

— Je l'ai rencontré dans les ruines.

— Donc, il a assisté aux enchères ?

— Il n'y a pas assisté.

— Comment !

— Il n'a pas quitté les ruines.

— Allons donc !

— Oui, j'ai préféré le retenir là-bas, lui mettre un petit bâillon sur la bouche, un petit foulard sur les yeux, de petites cordes aux bras et aux jambes. »

Le marquis eut un haut-le-corps.

« Je refuse absolument de me prêter à un pareil acte ! »

Raoul sourit :

« Vous ne vous prêtez à rien, monsieur. La responsabilité de cet acte m'incombe, à moi seul, et c'est par pure déférence que je vous en fais part. Les choses que je juge utiles à notre sécurité commune et à la bonne conduite de l'affaire, mon devoir est de les exécuter. »

Jean d'Erlemont se rendit compte alors à quoi l'entraînait une collaboration dont il ne voulait à aucun prix, mais qui lui était imposée par les circonstances autant que par la volonté de son interlocuteur. Comment s'y soustraire ?

Raoul reprit :

« Telle est la situation, monsieur. Elle est grave, ou du moins peut le devenir, surtout du côté de Valthex, et elle m'oblige à intervenir dès maintenant. L'ancienne amie du grand Paul étant menacée par lui, et le grand Paul, je le sais, étant résolu à agir contre vous, je prends l'offensive et le fais arrêter demain soir par la police. Que se passera-t-il alors ? Est-ce que l'on établira l'identité du grand Paul et de Valthex ? Est-ce qu'il dévoilera vos relations avec Elisabeth Hornain, vous mettant ainsi en cause, au bout de quinze ans ? Tout cela, c'est l'inconnu. Et voilà pourquoi j'aurais désiré savoir, être au courant de ce qui fut... »

Raoul attendit. Mais, cette fois, l'indécision du marquis ne fut pas longue. Il déclara :

« Je ne sais rien... je ne peux rien dire. »

Raoul se leva.

« Soit. Je me débrouillerai tout seul. Ce sera plus long. Il y aura du tirage, peut-être de la casse, comme on dit. Vous l'aurez voulu. Quand partez-vous d'ici, monsieur ?

— Demain, en auto, à huit heures.

— Bien. J'estime que Gorgeret ne pourra guère se libérer que pour sauter dans le train de dix heures du matin, à Vichy. Donc, rien à craindre pour le moment, si vous faites en sorte que la gardienne du château ne donne à Gorgeret aucun renseignement sur mademoiselle et sur vous. Vous resterez à Paris ?

— Une nuit seulement, et je m'absente pour trois semaines environ.

— Trois semaines ? Donnons-nous rendez-vous dans vingt-cinq jours, le mercredi 3 juillet, sur le banc de la terrasse, devant le château, à quatre heures. Cela vous convient ?

— Oui, fit d'Erlemont. Je réfléchirai d'ici là.

— A quoi ?

— A vos révélations et à ce que vous me proposez. »

Raoul se mit à rire.

« Il sera trop tard, monsieur.

— Trop tard ?

— Dame ! je n'ai pas beaucoup de temps à donner à l'affaire d'Erlemont. Dans vingt-cinq jours, tout sera réglé.

— Qu'est-ce qui sera réglé ?

— L'affaire Jean d'Erlemont. Le 3 juillet, à quatre heures, je vous apporterai la vérité sur le drame et sur toutes les énigmes qui le compliquent. Et je vous apporterai également l'héritage de votre grand-père maternel... ce qui permettra à mademoiselle, pour peu qu'elle en ait envie, et moyennant la simple restitution du chèque que j'ai signé tout à l'heure, de conserver et d'habiter ce château qui semble tellement lui plaire.

— Alors... alors..., fit d'Erlemont, très ému, vous croyez vraiment réussir à ce point ?

— Un seul obstacle pourrait m'en empêcher.

— Lequel ?

— C'est que je ne sois plus de ce monde. »

Raoul saisit son chapeau, dont il salua d'un geste large Antonine et le marquis et, sans dire un mot de plus, il pivota et sortit avec un certain dandinement du torse sur les hanches, qui devait lui être familier aux instants où il était plus particulièrement satisfait de lui-même.

On entendit son pas dans le vestibule, puis, peu après, la porte de la tour se refermait.

Seulement alors, le marquis secoua sa stupeur et murmura, pensif encore :

« Non..., non... on ne se confie pas ainsi au premier venu... Certes, je n'avais rien de spécial à lui dire, mais, en vérité, on ne s'associe pas à ces individus-là. »

Comme Antonine se taisait, il lui dit :

« Tu es de mon avis, n'est-ce pas ? »

Elle répliqua, avec embarras :

« Je ne sais pas, parrain... je n'ai aucun avis...

— Comment, un aventurier ! un homme qui porte deux noms, qui surgit on ne sait d'où !... et qui poursuit on ne sait quel but... s'occupant de mes affaires... se moquant de la police... et n'hésitant pas cependant à lui livrer le grand Paul. »

Il s'interrompit dans l'énumération des exploits de Raoul, médita durant une ou deux minutes, et conclut :

« Un rude homme, tout de même, et qui a des chances de réussir... un homme extraordinaire...

— Extraordinaire », répéta la jeune fille à demi-voix.

IX

A LA POURSUITE DU GRAND PAUL

L'ENTREVUE de Raoul et de maître Audigat fut brève. Le notaire posa des questions tout à fait inutiles, auxquelles Raoul riposta par des réponses aussi nettes que péremptoires. Le notaire, content de sa propre finesse et de sa clairvoyance, promit de remplir toutes formalités nécessaires dans le plus court délai.

Raoul quitta le village ouvertement, au volant de son auto, et se rendit à Vichy où il prit une chambre et dîna. Vers onze heures, il revint à Volnic. Il avait étudié les abords. Une brèche s'offrait, sur le côté, dans un mur inaccessible pour tout autre que pour lui. Il réussit à passer, se dirigea vers les ruines, et retrouva sous le lierre l'inspecteur Gorgeret dont les cordes et le bâillon n'avaient pas bougé. Il lui dit à l'oreille :

« C'est l'ami qui, tantôt, vous a procuré ces quelques heures de sieste réconfortante. Comme je vois que vous vous y plaisez, je vous apporte des douceurs : jambon, fromage et vin rouge. »

Gentiment, il dénoua le bâillon. L'autre lui envoya une bordée d'injures, d'une voix si étranglée, si furieuse, qu'il était impossible de le comprendre. Raoul approuva :

« Du moment que vous n'avez pas faim, faut pas vous forcer, monsieur Gorgeret. Excusez-moi de vous avoir dérangé. »

Il assujettit de nouveau le bâillon, vérifia minutieusement tous les liens, et s'en alla.

Le jardin était silencieux, la terrasse déserte, les lumières éteintes. Raoul avait avisé, dans l'après-midi, sous le toit d'une remise, une échelle. Il la décrocha. Il connaissait la position de la chambre où couchait Jean d'Erlemont. Il dressa l'échelle et monta. La nuit était chaude, la fenêtre, derrière les volets clos, s'ouvrait toute grande. Il fractura aisément le loquet des volets, et entra.

Ayant perçu la respiration régulière du marquis, il alluma sa lanterne de poche et vit les vêtements pliés avec soin sur une chaise.

Dans la poche du veston, il trouva le portefeuille; dans le portefeuille, la lettre que la mère d'Antonine avait écrite au marquis, lettre qui était la raison de l'expédition de Raoul. Il la lut.

« C'est bien ce que je pensais, se dit-il. Cette excellente personne a été jadis une des nombreuses maîtresses du séduisant marquis, et Antonine est leur fille. Allons, je ne déchois pas. »

Il remit la chose en place, repassa par la fenêtre, et descendit.

Trois fenêtres plus loin, à droite, c'était la chambre d'Antonine. Il y glissa son échelle et de nouveau escalada. Là encore, volets clos et fenêtre ouverte. Il enjamba. Sa lampe chercha le lit. Antonine dormait, tournée vers le mur, ses cheveux blonds ébouriffés.

Il attendit une minute, et puis une autre minute, et puis une autre. Pourquoi ne bougeait-il pas ? Pourquoi n'allait-il pas vers ce lit où elle reposait sans défense ? L'autre nuit, dans la bibliothèque du marquis, il avait bien senti la faiblesse d'Antonine en face de lui, et avec quelle torpeur elle acceptait l'étreinte de cette main qui tenait sa main et caressait son bras. Pourquoi ne profitait-il pas de l'occasion, puisque malgré la conduite inexplicable d'Antonine au courant de l'après-midi, il savait qu'elle n'aurait pas la force de résister ?

Son hésitation ne fut pas longue. Il redescendit.

« Bïgre, pensa-t-il en quittant le château, il est des moments où les plus malins ne sont que des poires. Car enfin je n'avais qu'à vouloir... Seulement, voilà, on ne peut pas toujours vouloir... »

Il reprit le chemin de Vichy, s'y reposa, et, dès le matin, il roulait sur la route de Paris, très satisfait de lui. Il se trouvait au cœur même de la place, entre le marquis d'Erlemont et sa fille, Antonine à sa disposition, un château historique en sa possession. Quel retournement des choses en quelques jours, depuis qu'il s'occupait plus activement de l'affaire ! Certes, il ne prétendait pas recevoir la récompense de ses services en épousant la fille du marquis d'Erlemont...

« Non, non, je suis un modeste, moi, mes ambitions sont restreintes et les honneurs ne m'importent guère. Non, ce que je vise... Après tout, qu'est-ce que je vise ? L'héritage du marquis ? Le château ? Le plaisir du succès ? Des blagues ! Le vrai but c'est Antonine. Un point, c'est tout. »

Et, parlant à demi-voix, il continuait :

« Quel gobeur je fais ! Les millions, le pourcentage, rien ne compte plus. Pour jouer les grands seigneurs et pour épater la belle, j'ai tout jeté à l'eau. Jobard, va ! Don Quichotte ! Cabotin ! »

Cependant, Raoul pensait à elle avec une ferveur qui l'étonnait lui-même, et celle qu'il évoquait, ce n'était pas l'Antonine inquiète, énigmatique, dont il fuyait les yeux au château de Volnic, et encore moins l'Antonine sournoise,

douloureuse et comme soumise aux lois de la
fatalité qui, la première nuit, dans la bibliothèque, accomplissait sa besogne de ténèbres —
mais l'autre, celle du début, qu'il avait con-
templée pour la première fois sur l'écran lumineux de son salon ! A ce moment-là, et durant
sa brève visite involontaire, Antonine n'était que
charme, insouciance, bonheur de vivre, espoir.
Minutes fugitives dans une destinée âpre et
accablante, mais minutes dont il avait profondément goûté la douceur et l'allégresse.

« Seulement — et c'était là une question qu'il
se posait bien souvent et avec irritation —, seulement, quelle est la raison secrète de ses actions ?
Dans quel dessein mystérieux a-t-elle manœuvré
de façon à capter la confiance du marquis ?
Soupçonne-t-elle qu'il est son père ? Veut-elle
venger sa mère ? Est-ce la richesse qu'elle poursuit ? »

Obsédé par le souvenir et par tout ce qu'était
cet être divers, incompréhensible et délicieux,
Raoul, contrairement à ses habitudes, effectua
le voyage au train le plus nonchalant. Il déjeuna
en route et n'arriva que vers trois heures à Paris,
avec l'intention de voir où Courville en était
de ses préparatifs. Mais il n'avait pas monté la
moitié de son étage que, brusquement, dans un
élan, il enjamba quatre marches, et encore quatre marches, se rua vers sa porte, entra comme

un fou, bouscula Courville qui rangeait la pièce,
et s'abattit sur le téléphone de la ville, en gémissant :

« Crebleu, tout à fait oublié que je devais
déjeuner avec la magnifique Olga. Allô, mademoiselle ! Allô ! le Trocadéro-Palace... Donnez-
moi l'appartement de Sa Majesté... Allô ! qui
est à l'appareil ? La masseuse ?... Ah ! c'est toi,
Charlotte ? Comment vas-tu, chérie ? Toujours
contente de ta place ? Qu'est-ce que tu dis ? Le
roi arrive demain ? Olga doit être d'une
humeur !... Donne-lui la communication... Au
galop, chérie. »

Il patienta quelques secondes, puis, d'une
voix onctueuse, ravie :

« Enfin, c'est toi, magnifique Olga ! Voilà
deux heures que j'essaie de t'avoir... Est-ce bête ?
Hein ! que dis-tu ? Moi, une fripouille !...
Voyons, Olga, nè te mets pas en colère. Ce n'est
pas de ma faute si je suis en panne d'auto, à
quatre-vingts kilomètres de Paris... Tu comprends bien que, dans ces conditions... Et toi,
chérie, que deviens-tu ? Tu te faisais masser ?...
Ah ! magnifique Olga, que ne suis-je là ?... »

Il entendit un déclic à l'autre bout du fil.
Furieuse, la magnifique Olga coupait la communication.

« Veine ! ricana-t-il. Elle écume. Ah ! aussi,
je commence à en avoir assez de Sa Majesté !

— La reine de Borostyrie ! murmura Courville d'un ton de reproche. En avoir assez d'une
reine !

— J'ai mieux qu'elle, Courville, s'écria Raoul.
Sais-tu qui est la jeune fille de l'autre jour ?
Non ? Ah ! ce que tu es peu malin !... c'est une
fille naturelle du marquis d'Erlemont. Et quel
charmeur que le marquis ! Nous venons de passer deux jours ensemble à la campagne. Je lui
plais infiniment. Il m'a accordé la main de sa
fille. Tu seras mon garçon d'honneur. Ah ! à
propos, il te fout à la porte.

— Hein ?

— Ou, du moins, il pourrait te ficher à la
porte. Donc, prends les devants. Laisse-lui un
mot, l'avertissant que ta sœur est malade.

— Je n'ai pas de sœur.

— Justement. Ça ne lui portera pas mal-
chance. Et puis, déguerpis avec tes frusques.

— Où me réfugier ?

— Sous les ponts. A moins que tu ne préfères
la chambre qui est au-dessus du garage, à notre
pavillon d'Auteuil. Oui ? Alors, va. Dépêche-toi.
Et surtout laisse tout en ordre chez mon beau-
père. Sinon, je te fais coffrer. »

Courville s'en alla, effrayé. Raoul resta assez
longtemps pour vérifier si rien de suspect ne
traînait, brûla des paperasses, et à quatre heures
et demie repartit en auto. A la gare de Lyon,

il s'informa du rapide de Vichy et se posta au débouché du quai qu'on lui indiqua.

Parmi la foule des gens qui descendaient du train et se hâtaient vers la sortie, il avisa la puissante carrure de Gorgeret. L'inspecteur montra sa carte à l'employé et passa. Une main se posa sur son épaule. Un visage aimable l'accueillit. Une bouche souriante prononça :

« Comment ça va, monsieur l'inspecteur ? »

Gorgeret n'était pas de ceux qui se laissent facilement déconcerter. Il en avait tant vu dans sa vie de policier, tant vu d'événements insolites et de personnages fantaisistes ! mais il demeura confondu, et comme incapable de traduire ce qu'il ressentait. Raoul s'étonna :

« Qu'y a-t-il donc, cher ami ? Pas malade, j'espère ? Et moi qui croyais vous faire plaisir en venant à votre rencontre ! Enfin, quoi, c'est une preuve de gentillesse et d'affection... »

Gorgeret lui happa le bras et l'entraîna à l'écart. Alors, vibrant d'indignation, il articula :

« Quel culot ! Crois-tu donc que je ne t'ai pas deviné, cette nuit, dans les ruines ? Salaud ! Voyou !... D'ailleurs, tu vas me suivre à la Préfecture. On causera là-bas. »

Il commençait à enfler la voix, si bien que des passants s'arrêtaient.

« Si ça te fait plaisir, mon vieux, dit Raoul. Mais réfléchis que, si je suis venu ici, et si je t'ai abordé, c'est que j'avais des raisons sérieuses. On ne se jette pas dans la gueule du loup, et quelle gueule ! pour le plaisir de s'y jeter. »

L'argument frappa Gorgeret. Il se contint :

« Que veux-tu ? Dépêche-toi.

— J'ai à te parler de quelqu'un.

— De qui ?

— De quelqu'un que tu détestes, de ton ennemi personnel, de celui que tu as capturé et qui t'a échappé, et dont l'arrestation défini- tive doit être l'obsession de tes pensées, et la gloire de ta carrière. Dois-je dire son nom ? »

Gorgeret murmura, un peu pâle :

« Le grand Paul ?

— Le grand Paul, confirma Raoul.

— Et après ?

— Comment, après ?

— C'est pour me parler du grand Paul que tu es venu me rejoindre à la gare ?

— Oui.

— C'est donc que tu as quelque révélation à me faire ?

— Mieux que cela : une offre.

— Laquelle ?

— Son arrestation. »

Gorgeret ne broncha pas. Mais de petits signes que Raoul avait déjà notés, frémissement des narines, clignement des paupières, trahirent son émotion. Il insinua :

« Dans huit jours ? Dans quinze jours ?

— Ce soir. »

Nouvelle palpitation des narines et des paupières.

« Quel prix te faut-il ?

— Trois francs cinquante.

— Pas de bêtises... que demandes-tu ?

— Que tu me fiches la paix ainsi qu'à Clara.

— D'accord.

— Sur l'honneur ?

— Sur l'honneur, affirma Gorgeret avec un sourire faux.

— En outre, dit Raoul, il me faut cinq hommes, sans te compter.

— Fichtre ! les autres sont donc nombreux ?

— Probable.

— Je viendrai avec cinq gaillards.

— Connais-tu l'Arabe ?

— Parbleu ! Un type redoutable.

— C'est le bras droit du grand Paul.

— Allons donc !

— Ils se retrouvent chaque soir à l'apéritif.

— Où ?

— A Montmartre, au bar des Ecrevisses.

— Connais.

— Moi aussi. On descend dans une cave et, de cette cave, on peut filer par une issue dérobée.

— C'est ça même. »

Raoul précisa.

« Rendez-vous là-bas à six heures trois quarts. Vous sauterez dans la cave, tous en bloc, revolver au poing. J'y serai avant vous. Mais, attention ! ne pas tirer sur un brave homme à tête de jockey anglais, qui vous attendra. Ce sera moi. Et puis, poster deux agents à la sortie dérobée, pour cueillir les fuyards. Convenu ? »

Gorgeret le considéra longuement. Pourquoi se séparer au lieu d'aller ensemble jusqu'à ce bar ? Etait-ce un stratagème ? Une façon de lui brûler la politesse ?

Autant que le grand Paul, Gorgeret détestait cet homme qui se jouait si facilement de lui et qui lui avait fait subir une telle injure, la nuit précédente, dans les ruines du château. Mais, d'autre part, quelle tentation ! la capture du grand Paul !... le retentissement d'un tel exploit !

« Bah ! pensa Gorgeret, je rattraperai celui-là un autre jour... Et Clara la Blonde avec lui. »

Et, tout haut, il ajouta :

« Entendu. A six heures trois quarts, l'attaque brusquée. »

X

LE BAR DES ÉCREVISSES

Le bar des Ecrevisses était fréquenté par un monde assez louche, ratés de la peinture ou du journalisme, employés sans travail et qui n'en voulaient pas, jeunes gens pâles à tournures équivoques, filles fardées avec chapeaux à plumes et corsages voyants. Mais, somme toute, un monde à peu près tranquille. Si l'on cherchait un spectacle plus pittoresque et une atmosphère plus spéciale, il fallait, au lieu d'entrer, suivre une impasse extérieure qui vous menait dans l'arrière-salle où vous guettait, écrasé dans un fauteuil, un gros homme débordant de graisse : le patron.

Tout nouvel arrivant s'arrêtait obligatoirement devant ce fauteuil, échangeait quelques paroles avec le patron, et finalement se dirigeait vers une petite porte. Un long couloir. Une autre porte, bardée de clous. Quand on ouvrait celle-ci, une bouffée de musique soufflait, mêlée à des

odeurs de tabac et à un air chaud qui sentait
le moisi.

Quinze marches, ou plutôt quinze barreaux
d'échelle fichés dans le mur, piquaient droit
dans une large cave voûtée où, ce jour-là, quatre
ou cinq couples tournaient au grincement d'un
violon sur lequel s'escrimait un vieil aveugle.

Au fond, derrière un comptoir en zinc, trônait
la femme du patron, plus grasse encore que lui,
et ornée de verroteries.

Une douzaine de tables étaient occupées. A
l'une d'elles, deux hommes fumaient, silencieux,
l'Arabe et le grand Paul. L'Arabe vêtu de son
pardessus olivâtre et coiffé d'un feutre crasseux;
le grand Paul en casquette, avec une chemise
sans col, un foulard marron, et, sur la figure,
un maquillage qui le vieillissait et lui donnait
un teint de cendre et un aspect de saleté vulgaire.

« Ce que t'as une vilaine touche ! ricana
l'Arabe. Cent ans, et une gueule d'enterrement.

— Fous-moi la paix, dit le grand Paul.

— Mais non, mais non, reprit l'autre. Que
tu te colles cent ans sur la peau, soit. Mais lâche
donc cet air de peur, cette mine de froussard
que tu as. Enfin, quoi, y a pas de raison !

— Si, des tas.

— Lesquelles ?

— Je me sens traqué.

— Par qui ? Tu ne couches pas trois jours dans le même lit... Tu te défies de ton ombre, tu es entouré de camarades. Reluque-les. Sur deux douzaines de types ici, il y en a une douzaine qui se jetteraient au feu pour toi, garçons et filles.

— Parce que je les paie.

— Et après ? Si t'es gardé comme un roi ? »

D'autres clients du bouge arrivaient, isolés ou par couples. Ils s'asseyaient ou dansaient. L'Arabe et le grand Paul les scrutaient d'un œil soupçonneux. L'Arabe fit signe à une des servantes et lui demanda tout bas :

« Qui est cette espèce d'Anglais, en face ?

— Un jockey, qu'a dit le patron.

— Il vient quelquefois ?

— J'sais pas. Je suis nouvelle. »

L'aveugle raclait un tango qu'une femme, qui avait une figure de plâtre, chantait d'une voix cassée de contralto, dont certaines notes graves imposaient un silence mélancolique.

« Sais-tu ce qui te pèse ? insinua l'Arabe. C'est Clara. Tu ne t'es jamais remis de sa fuite. »

Le grand Paul lui écrasa la main.

« Tais-toi... Ce n'est pas à sa fuite que je pense... C'est à ce misérable, dont elle est peut-être toquée.

— Raoul ?

— Ah ! ce que je donnerais pour le démolir, celui-là !

— Pour le démolir, il faut d'abord le trouver, et depuis quatre jours que je m'esquinte... peau de balle !

— Il faut en finir, cependant. Sinon...

— Sinon, t'es cuit ? Au fond, tu as peur. » Le grand Paul sursauta.

« Peur ? Tu es fou. Seulement j'ai senti, et je sais, qu'entre lui et moi il y a un compte à régler, et qu'un des deux restera sur le carreau.

— Et t'aimerais mieux que ce soit lui ?

— Parbleu ! »

L'Arabe haussa les épaules.

« Idiot ! Pour une femme... Tu t'es toujours empêtré dans des histoires du sexe.

— Clara, c'est plus qu'une femme pour moi, c'est la vie... Je ne peux pas vivre sans elle.

— Elle ne t'a jamais aimé.

— Justement... L'idée qu'elle en aime un autre !... Tu es bien sûr qu'elle sortait de chez Raoul, cet après-midi-là ?

— Mais oui, je te l'ai dit... j'ai fait bavarder la concierge. Avec un billet on en tire ce qu'on veut. »

Le grand Paul crispait ses poings et mâchonnait des mots de colère. L'Arabe continuait :

« Et après, elle est montée chez le marquis.

Quand elle est redescendue, on s'est bataillé
à l'entresol. C'était Gorgeret, et la petite s'est
sauvée. Le soir elle travaillait avec Raoul dans
l'appartement du marquis.

— Qu'est-ce qu'ils venaient chercher là ? murmura le grand Paul pensivement. Elle a dû
entrer avec la clef que j'avais et que je croyais
perdue... Mais que cherchaient-ils ? Qu'est-ce
qu'ils complotent au sujet du marquis ? Une
fois, elle m'a dit que sa mère avait connu le
vieux, et qu'avant de mourir elle lui avait appris
des choses sur lui... Quelles choses ? Elle n'a pas
voulu me répondre... C'est une si drôle de
gosse ! Je ne sais rien d'elle... Ce n'est pas qu'elle
aime mentir... Non. Elle est claire comme son
nom. Mais si fourbe également, et terrée en elle-
même. »

L'Arabe ricana :

« Secoue-toi, mon vieux... tu vas pleurer. Est-
ce que tu ne m'as pas dit que tu allais ce soir à
l'ouverture d'un nouveau casino ?

— Oui. Au Casino Bleu.

— Eh bien, ramasses-y une autre poule. C'est
le salut pour toi. »

La cave cependant s'était remplie. Une
quinzaine de couples tournaient et chantaient
dans l'épaisse fumée des cigarettes. L'aveugle
et la femme au masque de plâtre faisaient le
plus de bruit possible. Les filles découvraient

leurs épaules, admonestées aussitôt par la patronne qui exigeait la bonne tenue.

« Quelle heure est-il ? demanda le grand Paul.

— Sept heures moins vingt... un peu plus. »

Il se passa un instant. Puis le grand Paul dit :

« Deux fois que mon regard se croise avec
celui du jockey.

— C'est peut-être un type de la Préfecture,
plaisanta l'Arabe. Offre-lui une consommation. »

Ils se turent. Le violon jouait en sourdine,
puis s'arrêta. Dans un grand silence, la chanteuse plâtrée allait achever son tango sur quelque notes graves que les habitués attendaient
toujours avec déférence. Elle en exhala une,
puis une autre. Mais un coup de sifflet strident
jaillit du plafond, provoquant aussitôt un reflux
brutal de la foule vers le comptoir.

Et, tout de suite, la porte de l'escalier s'ouvrit. Un homme, deux hommes apparurent,
puis Gorgeret, le revolver braqué, et qui vociféra :

« Haut les mains ! Le premier qui bouge... »

Il tira, pour effrayer. Trois de ses agents se
laissèrent glisser jusqu'au bas de l'escalier et
crièrent aussi :

« Haut les mains ! »

Une quarantaine d'individus obéirent, face
aux agents. Mais la poussée, vers le comptoir,
de ceux qui cherchaient à s'enfuir, fut si violente

que le jockey anglais, quoique le premier debout,
ne put se frayer un passage jusqu'au grand
Paul. La patronne eut beau protester, son comptoir fut renversé. Il masquait une porte secrète
par où s'engouffrèrent un à un, dans le désordre
et dans le tumulte, les fugitifs. Il y eut, durant
quelques secondes, un arrêt brusque : deux
d'entre eux, exaspérés, luttaient à qui passerait
le premier. Le jockey anglais, monté sur une
chaise, reconnut l'Arabe et le grand Paul.

Le corps à corps fut effrayant de brutalité. Ni
l'un ni l'autre ne voulaient être pris par les
agents qui avançaient. Deux balles furent tirées,
qui ne les atteignirent point. Puis l'Arabe tomba
à genoux. Le grand Paul s'engouffra dans le
trou noir de l'issue, et referma la porte sur lui,
au moment même où les agents intervenaient.

Gorgeret, accourant, eut un rire de triomphe.
Cinq des hommes de la bande se cognaient
contre l'obstacle.

« De belles pièces au tableau, grogna-t-il.

— Surtout, ajouta le jockey, surtout si le
grand Paul est pincé au débouché... »

Gorgeret observa cet Anglais et reconnut
Raoul. Il affirma :

« C'est réglé. J'y ai mis Flamant, un type
solide !

— Allez-y, monsieur l'inspecteur. Ça vaut
mieux. »

Gorgeret formula ses instructions. On ligotait ceux de la bande. On accula les autres dans un coin, sous la menace des revolvers.

Raoul retint l'inspecteur.

« Une seconde. Donnez l'ordre qu'on me laisse dire quelques mots à l'Arabe, qui est là. Il est à point pour qu'on en tire quelque chose... mais tout de suite. »

Gorgeret y consentit, puis s'en alla.

Raoul s'accroupit alors près de l'Arabe et lui dit à voix basse :

« Tu me remets, hein ? C'est moi, Raoul, le type du quai Voltaire qui t'a donné deux billets. En veux-tu deux autres ? »

L'Arabe bredouilla :

« J'aime pas trahir... cependant...

— Oui, c'est le grand Paul qui t'a empêché de filer. Mais qu'est-ce que ça peut te faire puisqu'on doit le prendre à l'issue ? »

L'Arabe s'emporta, et, la voix rageuse :

« De la fichaise ! Il y en a une autre, nouvelle... un escalier qui remonte à l'impasse.

— Crebleu ! dit Raoul, avec dépit. Voilà ce que c'est que de se fier à Gorgeret !

— T'es donc de la police, toi ?

— Non. Mais on marche ensemble, à l'occasion. En quoi puis-je t'aider ?

— En rien, pour l'instant, puisqu'on me reprendrait les billets. Mais il n'y a pas de

preuves contre moi. Quand je serai relâ-
ché, envoie-moi de l'argent poste restante.
A. R. B. E. bureau 79.

— Tu as donc confiance en moi ?

— Faut bien.

— Tu as raison. Combien veux-tu ?

— Cinq mille.

— Fichtre ! tu as de l'appétit.

— Pas un de moins.

— Soit. Tu les auras si ton renseignement
est bon... et si tu ne souffles pas mot de Clara
la Blonde. Alors, on trouvera le grand Paul ?

— Oui, tant pis pour lui... Il m'a joué un
sale tour... On le trouvera ce soir... dix heures...
au Casino Bleu... une nouvelle boîte.

— Il y sera seul ?

— Oui.

— Pourquoi va-t-il là ?

— Il espère toujours trouver sa poule blonde...
la tienne, hein ?... Seulement, c'est une soirée de
gala... ce n'est pas le grand Paul que tu verras.

— Valthex, alors ?

— Oui, Valthex... »

Raoul posa encore quelques questions, mais
il semblait que l'Arabe eût dévidé son écheveau
de confidences, et il refusa d'en dire plus long.

D'ailleurs, Gorgeret revenait de l'issue, l'air
déconfit. Raoul l'entraîna, en se moquant de lui.

« Bredouille, hein ? Que veux-tu ? Vous

marchez toujours tous comme des idiots, sans
vous renseigner à fond. N'importe, ne te désole
pas.

— L'Arabe a parlé ?

— Non. Ça ne fait rien. Je réparerai ta gaffe.
Rendez-vous ce soir, à dix heures, au contrôle
du Casino Bleu. Déguise-toi en homme du
monde, pour qu'on ne te remarque pas. »

Gorgeret fut effaré.

« Mais oui, insista Raoul, en homme du
monde, habit et claque. Et un peu de poudre
de riz sur tes bajoues et sur ton nez, hein ? Elles
sont rubicondes, tes bajoues !... Et quel nez
de pochard ! A tout à l'heure, cher ami... »

Raoul retrouva son auto dans une rue voisine
et traversa Paris pour regagner sa maison d'Auteuil, qui était, à cette époque, son installation
principale et le centre de ses opérations. Sur
une large avenue peu fréquentée, au fond d'un
jardin assez exigu, un pavillon sans style, sans
couleur, sans rien qui attirât l'attention, dressait
deux étages étroits, composés d'une seule pièce
sur chaque façade.

La pièce de derrière donnait sur une cour
pourvue d'un garage inutilisé où l'on entrait
par une autre rue, — ce qui constituait la sécurité primordiale de toutes les installations de
Raoul. En bas, une salle à manger, profonde,

formée par les deux pièces, et sommairement meublée. Au premier étage une chambre confortable et luxueuse, avec la salle de bain. Le personnel, valet de chambre dévoué et vieille cuisinière, couchait au-dessus du garage vide. Raoul remisait son auto à cent mètres de là.

A huit heures, il se mit à table. Courville, qui se présenta, lui annonça que le marquis était arrivé à six heures et que la jeune fille n'avait pas paru. Raoul s'inquiéta :

« Donc, elle est dans quelque coin de Paris, isolée, sans défense, et un mauvais hasard peut la livrer à Valthex. Il est grand temps de réussir. Dîne avec moi, Courville. Ensuite, tu m'accompagneras au music-hall. Grande tenue. Tu as beaucoup de chic en habit. »

La toilette de Raoul fut longue, coupée par des exercices d'assouplissement. Il avait l'idée que la soirée serait chaude.

« Bravo, dit-il à Courville lorsque celui-ci le rejoignit. Tu as l'air d'un grand-duc... »

La belle barbe carrée du secrétaire s'étalait sur un plastron impeccable. Il bombait une poitrine de diplomate sur un ventre en boule.

XI

LE CASINO BLEU

C'ÉTAIT un événement mondain que l'inauguration du Casino Bleu, construit à l'emplacement
d'un célèbre café-concert des Champs-Elysées.
Deux mille cartes d'invitation avaient été en-
voyées, toutes à destination de gens du monde
connus, d'artistes et de demi-mondaines bien
cotées.

Une lumière, d'un bleu froid de clair de lune,
luisait sous les grands arbres de l'avenue, devant
le vestibule à colonnes barbares, tout encombré
de placards et d'affiches. La foule, canalisée par
les contrôleurs, envahissait déjà la salle, lorsque
sur le coup de dix heures se présenta Raoul, une
carte d'invitation à la main.

Il avait donné ses ordres à Courville.

« Ne pas me reconnaître. Ne pas m'approcher.
Mais rôder autour de moi... et plus encore auprès de Gorgeret. Gorgeret, c'est l'ennemi, je me
défie de lui comme de la peste. S'il peut faire

coup double : Raoul et le grand Paul, il n'y manquera pas. Donc, ne le lâche pas de l'œil, et moins encore de l'oreille. Il aura des agents, il leur parlera : c'est alors qu'il faudra saisir, non seulement les paroles, mais le sens même de ce qu'il ne dira pas. »

Courville hocha la tête avec componction et provoqua l'ennemi de sa belle barbe carrée, jetée en avant :

« Compris, dit-il avec importance. Mais, si on vous attaque sans que j'aie le temps de vous avertir ?

— Tu protèges ma fuite de tes deux bras étendus et de toute ta barbe.

— Si on veut passer outre ?

— Impossible. Ta barbe est trop respectable.

— Cependant ?...

— Alors, tu te fais tuer sur place. En attendant, voici Gorgeret... Lâche-moi et, sans qu'il s'en aperçoive, environne-le. »

Conformément aux instructions reçues, Gorgeret s'était affublé de son équipement d'homme du monde, habit luisant, trop étroit, craquant aux entournures, gibus si détraqué qu'il avait renoncé à l'ouvrir, face saupoudrée de farine. Sur l'épaule, fièrement, un vieux trench-coat couleur de tranchée, plié avec soin. Raoul l'aborda discrètement :

« Bon sang ! tu es méconnaissable. Un vrai

gentleman... Tu vas passer tout à fait inaperçu... »

« Il se fout de moi », dut penser de nouveau Gorgeret, car il eut une expression de colère.

« Tes hommes ?

— Quatre, affirma Gorgeret, qui en avait amené sept.

— Aussi bien camouflés que toi ? »

Raoul jeta un coup d'œil circulaire et, tout de suite, nota six ou sept hommes qui pouvaient briguer l'honneur de capter tous les regards en tant que policiers déguisés en grands seigneurs. Dès lors, il se planta devant l'inspecteur pour que celui-ci ne réussît pas à le signaler à ses acolytes.

Le flot des arrivants coulait toujours. Raoul murmura :

« Le voilà...

— Où ? dit vivement Gorgeret.

— Derrière deux dames, près du contrôle... un grand type en haut-de-forme avec un cache-col de soie blanche. »

Gorgeret se tourna et chuchota :

« Mais ce n'est pas lui... ce n'est pas le grand Paul...

— C'est le grand Paul, en monsieur chic. »

L'inspecteur regarda plus attentivement :

« En effet... peut-être... Ah ! la crapule ! »

— Oui, mais de la branche, hein ? Tu ne l'as jamais rencontré comme ça ?...

— Si... si... je crois... dans des tripots... Mais je ne me doutais pas. Quel est son véritable nom ?

— Il te le dira, si ça lui chante... Mais surtout, pas de scandale inutile... et pas trop de hâte... Tu l'arrêteras quand il s'en ira, et qu'on saura ce qu'il est venu faire. »

Gorgeret alla s'entretenir avec ses hommes, leur montra le grand Paul, et rejoignit Raoul. Ils entrèrent, tous deux, sans se parler. Le grand Paul avait pris la gauche. Ils prirent la droite.

L'animation croissait dans la grande rotonde où s'enchevêtraient vingt rayons bleus de toutes nuances, qui jouaient, se battaient, et se confondaient. Autour des tables, se pressaient deux fois plus de personnes qu'il n'eût fallu. On chantait beaucoup. Une maison de champagne qui voulait se lancer remplissait toutes les coupes que l'on tendait.

La nouveauté du spectacle consistait en ceci que l'on dansait dans l'espace réservé au centre, et qu'après chaque danse commençait un numéro de café-concert sur une petite scène aménagée au fond. L'alternance était rapide, immédiate. Tout se passait d'une façon haletante, sur un rythme trépidant. Et les spectateurs reprenaient les refrains en chœur.

Gorgeret et Raoul, debout dans le promenoir de droite, le visage à demi caché par leur programme, ne quittaient pas des yeux Valthex qui, vingt pas plus loin, dissimulait autant que possible sa haute taille en voûtant les épaules. En arrière de lui, les hommes de Gorgeret rôdaient, surveillés par l'inspecteur.

Un numéro de jongleurs hindous fut suivi d'un tango dans la salle. Une valse précéda un numéro comique. Puis des acrobates, des tours de chant, de la barre fixe, et toujours des danses. La foule devenait houleuse, ivre de bruit et de gaieté factice. Entre elle et une troupe de clowns, il y eut des apostrophes et des clameurs.

Mais voici que sur la scène fut apporté un grand panneau où se dessinait, en affiche multicolore, la silhouette fine d'une danseuse au visage voilé, avec cette inscription qu'annoncèrent en même temps vingt écrans lumineux : *La Danseuse masquée.* L'orchestre retentit. Et la danseuse bondit hors des coulisses, vêtue de rubans qui s'entrecroisaient sur ses épaules et sur sa poitrine, et d'une ample jupe bleue, constellée d'or, d'où jaillissaient, au moindre mouvement, ses jambes nues.

Elle s'immobilisa un instant, pareille à la plus gracieuse Tanagra. Une gaze d'or à mailles très fines cachait une partie de la tête et la figure. Il s'en échappait des boucles légères d'admirables cheveux blonds.

« Crebleu ! fit Raoul entre ses dents.

— Quoi ? demanda Gorgeret, qui se trouvait à côté de lui.

— Rien... Rien... »

Mais Raoul regardait avec une curiosité ardente ces cheveux blonds, cette silhouette...

Elle dansa, très doucement d'abord, se déplaçant par mouvements invisibles et gardant une attitude fixe, où l'on ne pouvait discerner le moindre frissonnement du corps. Ainsi fit-elle deux fois le tour de la scène, dressée sur les pointes de ses pieds nus.

« Non, mais pigez-moi la tête du grand Paul », murmura Gorgeret.

Raoul fut interdit. Toute la face de l'homme était tordue par une attention forcenée, douloureuse dans son intensité. Pour mieux voir, il haussait encore sa taille. Ses yeux étaient braqués éperdument sur la danseuse masquée.

Gorgeret fit entendre un rire sournois.

« Dites donc, c'est les cheveux blonds qui le mettent dans cet état ? Ça lui rappelle sa Clara... A moins que... à moins que... »

Il hésitait à exprimer sa pensée imprévue. A la fin, il acheva par bribes :

« A moins que... Mais oui... c'est peut-être bien elle, sa donzelle... la vôtre. Ce serait rigolo !

— Vous êtes fou ! » répliqua sèchement Raoul.

Mais, lui aussi, l'idée l'avait assailli dès le premier moment. D'abord, il n'avait vu que l'exacte similitude des cheveux et de leur couleur, et la légèreté pareille de leurs boucles. Et puis, l'émotion de Valthex, son effort visible pour écarter le masque d'or et pour atteindre la réalité du visage le frappaient vivement. C'est qu'il savait, lui, Valthex, c'est qu'il devait savoir les dons de Clara comme danseuse, c'est qu'il l'avait vue sans doute danser sur d'autres scènes, dans d'autres pays, et qu'il n'ignorait rien de cette grâce enfantine et de cette vision de rêve et de fantaisie.

« C'est elle... c'est elle... », se disait Raoul.

Et pourtant, était-ce possible ? Comment admettre que la petite provinciale, fille du marquis d'Erlemont, possédât cette science et ce métier ? Comment concevoir qu'elle eût eu le temps, au retour de Volnic, de rentrer chez elle, de s'habiller et de venir ?

Mais, au fur et à mesure qu'il énonçait des objections, celles-ci s'effondraient sous l'assaut des arguments contraires. Dans le tumulte de son cerveau, la chaîne des faits probables se formait de la façon la plus logique. Non, ce n'était peut-être pas elle, mais devait-on nier aveuglément que ce pouvait être elle ?

Là-bas, elle s'animait peu à peu, dans l'agitation croissante du public. Elle tournait sur

elle-même, avec des gestes précis, qui s'arrêtaient net et qui reprenaient brusquement au
rythme scandé de l'orchestre. Puis ses jambes
fusèrent, et ce fut cela surtout qui déchaîna
l'enthousiasme, ses fines jambes d'un adorable
modelé, et qui étaient plus vivantes, plus sou-
ples et plus déliées que les bras les plus sinueux.

Gorgeret remarqua :

« Le grand Paul a l'air de se faufiler vers
les coulisses. Je crois qu'on passe comme on
veut. »

De fait, au bout du promenoir, à droite et
à gauche, on y accédait par une rampe au haut
de laquelle un contrôleur tâchait vainement
de contenir les indiscrets.

« Oui, dit Raoul, après avoir constaté la
manœuvre du grand Paul, oui, il va essayer
de l'approcher dans les coulisses. Dis donc, tes
hommes devraient se masser à la sortie des artistes qui doit être sur l'avenue latérale et se tenir
prêts à entrer par là, en cas d'alerte. »

Gorgeret fut de cet avis et s'éloigna. Trois
minutes plus tard, tandis que l'inspecteur s'efforçait de rallier ses troupes, Raoul quitta la salle.
Dehors, comme il contournait le Casino, précé-
dant ainsi les agents, il fut rejoint par Courville, qui lui rendit compte de sa mission.

« Je viens d'entendre les ordres de Gorgeret, monsieur. Il est question de vous mettre

la main au collet, et d'arrêter la danseuse masquée. »

C'est cela que redoutait Raoul. Il ignorait si la danseuse était Antonine. Mais Gorgeret ne risquait rien de s'en assurer et, si c'était elle, Antonine, prise entre la police et le grand Paul, était perdue.

Il se mit à courir. Il avait peur. La physionomie dure et menaçante du grand Paul lui laissait supposer que, si le bandit se trouvait en face d'Antonine, il était capable de toutes les brutalités.

Raoul et Courville franchirent la petite entrée. « Police », dit Raoul en montrant une carte au concierge qui s'interposait. On le laissa passer.

Un escalier et un couloir le conduisirent aux loges des artistes.

Au même moment, d'une de ces loges sortit la danseuse. Pendant les ovations, elle était revenue prendre un grand châle pour la seconde partie de son numéro. Elle referma la porte à clef et se faufila parmi les habits noirs qui avaient envahi les coulisses. A sa rentrée en scène, les applaudissements crépitèrent. Raoul devina tout le public, debout, criant son enthousiasme.

Et alors, soudain, il s'avisa que le grand Paul était près de lui, bouleversé par le passage de cette femme, les poings crispés, les veines du front gonflées. A cet instant, Raoul ne doutait pas que ce fût elle, et il sentit vraiment tout le danger qui menaçait la malheureuse...

Il chercha des yeux Gorgeret. Que faisait donc cet imbécile ? N'avait-il pas compris que le champ de bataille était là, dans cet espace limité, et que quelque chose allait se passer où sa présence et celle de ses agents étaient indispensables ?

Il résolut d'entamer la lutte sans retard, et d'attirer sur lui-même la menace aveugle de l'ennemi. Il lui frappa doucement l'épaule, et, quand Valthex se retourna, il aperçut la figure narquoise de ce Raoul qu'il exécrait et dont il avait peur.

« Vous... vous... murmura-t-il, avec une expression de haine. Vous êtes là pour elle ?... Vous l'accompagnez ? »

Il se domina. Quoiqu'ils fussent en arrière de la foule massée, il y avait autour d'eux des allées et des venues, des gens qui essayaient de voir, des machinistes, des habilleuses... Une intonation trop élevée eût été entendue.

Raoul ricana, sur le même ton en sourdine :

« Ma foi, oui, je l'accompagne. Elle m'a confié la mission de la protéger... Il paraît qu'il y a des coquins qui courent après elle. Tu penses si ça me fait rigoler.

— Pourquoi ça te fait-il rigoler ? gronda l'autre.

— Parce que quand j'entreprends quelque chose, ça réussit toujours. C'est une habitude. »

Valthex frissonna de rage.

« Tu as réussi ?

— Parbleu !

— Des blagues ! Tu n'auras réussi que quand je ne vivrai plus. Et je vis ! Et je suis là !

— J'y suis aussi. Et j'y étais tantôt, dans la cave.

— Hein ! quoi ?

— Le jockey, c'était moi.

— Misérable !

— Et c'est moi qui avais amené la police, pour te prendre au gîte.

— Coup raté, dit l'autre, essayant de rire.

— Coup raté, tantôt. Mais, ce soir, l'affaire est dans le sac. »

Valthex se serra contre lui, et les yeux dans les yeux :

« Qu'est-ce que tu chantes ?

— Gorgeret est ici, avec ses copains.

— Tu mens !

— Il est ici. Je t'avertis pour que tu fiches le camp. Vite. Décampe. Tu as le temps... »

Valthex épia les alentours de ses yeux hagards, l'air d'une bête traquée. Certes, il accepta, visiblement, l'idée de fuir, et Raoul se réjouit,

pensant avant tout au salut d'Antonine. Valthex parti, c'eût été un jeu de défendre la
jeune fille contre la police.

« Va, va, galope... Voyons, c'est trop bête
de rester... Galope. »

Trop tard. La danseuse apparaissait, bondis-
sant hors de la scène. Et, en même temps, surgissait, venant de l'escalier et courant entre
les loges d'artistes, Gorgeret, suivi de cinq
agents... Gorgeret qui se ruait sur l'ennemi.

Valthex hésita, le visage féroce. Il regarda
la danseuse qui avançait et qui s'arrêta, comme
craintive. Il regarda Gorgeret, qui n'était plus
qu'à cinq ou six pas de lui. Que faire ? Raoul
se jeta sur lui. Il put se dégager, mit brusquement la main à la poche, et brandit un revolver qu'il dirigea sur la danseuse.

Le coup claqua, dans le tumulte et l'affole-
ment. D'un geste vif, Raoul avait relevé le bras
tendu. La balle dut se perdre en l'air, parmi
les décors. Mais la danseuse tomba évanouie.

Ce qui se produisit alors ne dura certes pas
plus de dix secondes. Il y eut une bousculade,
à travers laquelle on vit Gorgeret sauter sur
le grand Paul et le ceinturer, tout en criant
à ses hommes :

« A moi, Flamant ! Les autres, pour Raoul
et la danseuse ! »

On vit surgir un petit monsieur bedonnant,

à barbe blanche, qui, furieux, les jambes écar-
tées, faisait obstacle aux agents et protestait
contre leur brutalité. Et on vit un monsieur
très chic, qui, profitant de cette intervention
et du désordre général, se baissait, empoignait
la danseuse au masque d'or, et la chargeait
sur son épaule. C'était Raoul. Protégé par
l'audace indomptable de Courville, certain
d'avoir une avance sur ses agresseurs que la
masse des spectateurs retarderait, il emportait
son fardeau vers la salle. De ce côté, la retraite
lui semblait possible.

Il ne se trompait pas. Le public n'avait rien
surpris de ce qui se jouait dans les coulisses.
Un jazz de nègres burlesques hurlait un tango.
La danse avait repris. On riait et on chantait.
Aussi, lorsque Raoul déboucha d'entre les habits
noirs qui encombraient la rampe de droite,
et qu'il descendit, tenant au bout de ses bras,
levés vers le plafond, une femme en qui l'on
reconnut aussitôt la danseuse masquée, on
crut à une plaisanterie, à un tour de force
accompli par quelque acrobate en tenue de
gentleman, qui promenait dans la salle sa
proie consentante. Les rangs s'ouvrirent devant
lui, et se refermèrent, plus compacts et plus
hostiles à ceux qui auraient tenté le passage. Des
chaises et des tables furent déplacées.

Cependant, du fond de la scène on criait :

« Arrêtez-le !... arrêtez-le ! »

Les rires redoublèrent. De plus en plus on croyait à une plaisanterie. Le jazz nègre faisait rage, de tous ses instruments et de toutes ses voix. Nul ne lui barra la route. Souriant, sans efforts, la tête renversée, il continua son exercice, applaudi par un public délirant. Il le continua jusqu'aux portes du large hall d'entrée.

L'une d'elles fut poussée devant lui. Il sortit. Les spectateurs pensèrent qu'il allait faire le tour du Casino et revenir par la scène. Les contrôleurs et les agents de police, que divertissait ce numéro imprévu, ne l'inquiétèrent pas. Mais, dès qu'il fut dehors, laissant glisser la danseuse, il la ploya de nouveau sur son épaule et prit le pas de course sur l'avenue latérale, parmi les taches de lumière et les espaces d'ombre qui s'étendaient sous les arbres.

A cinquante pas du Casino, il entendit encore le cri d'alarme :

« Arrêtez-le ! arrêtez-le ! »

Il ne se hâta pas davantage. Son auto était proche, au milieu de la longue file de voitures dont les chauffeurs dormaient ou s'entretenaient par groupes. Ils perçurent les clameurs, mais ne comprirent pas aussitôt, s'interrogèrent, s'émurent, et n'agirent point.

Raoul déposa dans sa voiture la danseuse,

toujours évanouie, du moins inerte et silencieuse, et mit en marche. Tout de suite, heureusement, le moteur s'anima.

« Si j'ai la chance, se dit-il, qu'il n'y ait point d'embouteillage, le tour est réussi. »

Il faut toujours compter avec la chance. C'était un des principes de Raoul... Une fois de plus, elle joua en sa faveur. Il n'y eut pas d'encombrement, les policiers qui n'étaient plus qu'à vingt pas, quand il démarra, furent aussitôt distancés.

A grande vitesse, quoique prudemment, car, autre principe, on ne doit pas forcer la chance, il gagna la Concorde, traversa la Seine, et en suivit le cours. Hors d'atteinte, il ralentit.

« Ouf ! se dit-il, nous y sommes. »

Et, pour la première fois depuis qu'il s'était jeté en plein dans l'action, il se demanda :

« Et si ce n'était pas Antonine ! »

Autant son élan de conviction l'avait poussé à intervenir, autant, tout à coup, la foi l'abandonna. Mais non, mais non, ce ne pouvait pas être elle. Trop de preuves contraires s'opposaient à un fait qu'il avait admis sans réfléchir, et aucune preuve affirmative ne résistait à l'examen. Le grand Paul était un fou, un détraqué, dont l'émotion ne constituait pas un élément de vérité.

Raoul eut un accès de rire. Fallait-il que,

dans certains cas, lorsque le mystère d'une
femme le troublait, il fût naïf ! Un vrai collégien... mais un collégien que l'aventure passion-
nait. Antonine ou une autre, après tout, qu'importait ! Une femme était là qu'il avait sauvée,
et la plus ardente, et la plus harmonieuse des
femmes. Que pourrait-elle lui refuser ?

Il reprit de la vitesse. Un besoin fiévreux de
savoir le stimulait. Pourquoi couvrait-elle sa
figure d'une résille aux mailles jalouses ? La
vision divine de son corps aurait-elle été abîmée
par des traits déformés ou quelque mal affreux ?
Et, d'autre part, si elle était belle, quelle raison
étrange, quelle peur, quel déséquilibre, quel
caprice, quel amour, l'obligeaient à ne pas faire
au public l'offrande de sa beauté ?

De nouveau, il traversa la Seine. Il prit les
quais de l'autre rive. Auteuil. Des rues de province. Puis une large avenue. Il s'arrêta.

Sa captive n'avait pas bougé.

Il se pencha et lui dit :

« Est-ce que vous pouvez vous tenir debout
et monter ? Est-ce que vous m'entendez ? »

Aucune réponse.

Après avoir ouvert la grille du jardin et sonné,
il saisit la danseuse dans ses deux bras et la
serra contre sa poitrine. Une ivresse l'envahit
à la sentir si près de lui, à deviner sa bouche
si proche de la sienne, à respirer son haleine.

« Ah ! qui es-tu ? qui es-tu ? murmura-t-il, tout palpitant de désir et de curiosité. Antonine ? une étrangère ? »

Son domestique survint.

« Conduis l'auto au garage, et laisse-moi. »

Il entra dans le pavillon, monta vivement, comme s'il eût porté le plus léger fardeau, gagna sa chambre, étendit la captive sur un divan, s'agenouilla devant elle, et dénoua la gaze d'or.

Un cri de joie lui échappa :

« Antonine ! »

Deux ou trois minutes s'écoulèrent. Il lui fit respirer des sels, il lui baigna d'eau fraîche les tempes et le front. Elle entrouvrit les yeux, et le regarda un long moment. Ses idées revenaient peu à peu.

« Antonine ! Antonine ! » répétait-il extasié.

Elle lui sourit, avec des larmes, et de l'amertume dans le sourire, mais avec quelle tendresse profonde !

Il chercha ses lèvres. Allait-elle le repousser comme dans le salon de Volnic ? ou bien l'accueillir ?

Elle ne résista pas.

XII

LES DEUX SOURIRES

Ils finissaient tous deux de prendre leur petit déjeuner que le domestique avait servi sur un guéridon de la chambre. La fenêtre était ouverte sur le jardin d'où montaient des odeurs de troènes en fleur. Entre les deux marronniers qui se dressaient à droite et à gauche, on apercevait l'avenue, et, au-dessus, le ciel bleu rayonnait de soleil. Et Raoul parlait.

Toute sa joie victorieuse — victoire sur Gorgeret, victoire sur le grand Paul, victoire sur l'adorable Clara — toute sa joie s'exhalait en exubérance comique, en lyrisme drôle, en vantardise, en une faconde irrésistible, à la fois saugrenue et charmante, ingénue et cynique.

« Parle encore... parle encore... », implorait-elle sans le quitter de ses yeux où tant de mélancolie se mêlait à tant de gaieté juvénile.

Et, quand il avait fini, elle insistait :

« Parle... Raconte... Dis-moi tout ce que je

sais déjà... Tiens, recommence toute ton aventure des ruines de Volnic avec Gorgeret, et les
enchères dans le salon, et ta conversation avec
le marquis.

— Mais tu étais là, Antonine !

— N'importe ! tout ce que tu as fait, tout
ce que tu as dit me passionne. Et puis, il y a
des choses que je n'ai pas bien comprises...
Alors, c'est vrai, tu es monté la nuit dans ma
chambre ?

— Dans ta chambre.

— Et tu n'as pas osé venir jusqu'à moi ?

— Fichtre non ! J'avais peur de toi. Tu étais
terrible au château de Volnic.

— Et, avant, tu avais passé chez le marquis ?

— Chez ton parrain, oui. Je voulais connaître
la lettre de ta mère, que tu lui avais remise.
Et j'ai su de la sorte que tu étais sa fille.

— Moi, dit-elle d'un air pensif, je le savais
déjà par la photographie de maman que j'avais
trouvée chez lui, dans son bureau de Paris, tu
te rappelles ? Mais cela n'a pas d'importance.
C'est à toi de parler. Recommence... explique... »

Il recommençait. Il expliquait. Il mimait. Il
était tour à tour le ridicule et compassé maître
Audigat, et l'inquiet, l'abasourdi d'Erlemont.
Et il fut aussi la gracieuse et souple Antonine.

Elle protestait :

« Non, ce n'est pas moi... Je ne suis pas ainsi.

— Tu étais ainsi avant-hier, et la fois que tu es venue chez moi. Tu avais cette petite mine-ci, et cette autre... Tiens, comme ça... »

Elle riait, mais ne cédait pas.

« Non... tu ne m'as pas bien vue... Voilà comment je suis.

— Mais oui, s'écriait-il, je sais comment tu es ce matin, avec tes yeux qui brillent et tes dents éclatantes... Tu n'es plus la petite provinciale de ce jour-là, ni la petite fille du château, celle que je ne voulais pas regarder mais que je devinais. Tu es différente, mais je retrouve ton air de réserve et de pudeur, qui ne change jamais, et je retrouve tes cheveux blonds que j'ai reconnus hier soir... et toute ta silhouette de grâce et de gentillesse dans ton costume de danseuse. »

Elle ne l'avait pas quitté, son costume de danseuse, au corsage de rubans, et à la jupe bleue semée d'étoiles. Et elle était si désirable ainsi qu'il la saisit dans ses bras :

« Oui, dit-il, je t'ai devinée, parce que toi seule pouvais donner cette image de séduction. Mais, tout de même, comme je te cherchais sous ton masque ! Et comme j'avais peur quand je l'ai retiré ! Et c'était toi ! c'était toi ! Et ce sera encore toi demain, et toute la vie, quand nous serons loin d'ici. »

On frappa légèrement.

« Entrez ! »

C'était le domestique. Il apportait les journaux, et quelques lettres, ouvertes au préalable et classées par Courville.

« Ah ! parfait, nous allons voir ce que l'on dit du Casino Bleu, de Gorgeret et du grand Paul... et aussi, sans doute, du bar des Ecrevisses. Quelle journée historique ! »

Le domestique sortit. Raoul passa aussitôt aux nouvelles.

« Fichtre ! nous avons les honneurs de la première page... »

Dès le premier coup d'œil sur le titre détaillé qui annonçait l'événement, il se rembrunit, sa gaieté tomba d'un coup. Il maugréa :

« Ah ! les idiots ! Faut-il que ce Gorgeret soit bête ! »

Et il lut, à demi-voix :

« Le grand Paul, après avoir échappé à la
« police, au cours d'une rafle effectuée dans
« un bar de Montmartre, est arrêté à l'inau-
« guration du Casino Bleu, et glisse de nouveau
« entre les mains de l'inspecteur principal Gor-
« geret et de ses agents. »

— Ah ! fit-elle, atterrée, c'est effrayant !

— Effrayant ? dit-il. Pourquoi ? Il se fera reprendre un de ces jours... et je m'en charge... »

Au fond, cette évasion le tourmentait et l'irritait profondément. Il fallait tout recommencer.

Le dangereux bandit de nouveau libre, c'était Antonine de nouveau poursuivie, et menacée par un ennemi implacable qui, certes, ne lui ferait pas grâce et l'abattrait à la première occasion.

Il parcourut l'article. On y mentionnait la capture de l'Arabe et de quelques sous-ordres autour desquels la police menait grand tapage. On y racontait aussi la tentative de meurtre contre la danseuse masquée et son enlèvement par un spectateur que l'on soupçonnait d'être un rival, mais sur qui l'on ne pouvait donner aucun détail précis qui permît de reconnaître Raoul.

Quant à la danseuse masquée, personne ne l'avait vue à visage découvert. Le directeur du casino l'avait engagée sur la foi d'une agence de Berlin où, « non masquée », elle dansait l'hiver précédent, avec beaucoup de succès.

« Il y a deux semaines, ajoutait le directeur dans une interview, elle m'a téléphoné de je ne sais où, me disant qu'elle serait exacte au jour fixé, mais que, pour des raisons personnelles, elle paraîtrait voilée. J'ai accepté, trouvant qu'il y aurait là un supplément d'attrait, et me réservant de l'interroger le soir même. Mais elle n'est arrivée qu'à huit heures, toute vêtue, paraît-il, et s'est enfermée dans sa loge. »

Raoul demanda :

« Tout cela est vrai ?

— Oui, dit Clara.

— Depuis combien de temps danses-tu ?

— J'ai toujours dansé, pour mon plaisir et sans me faire voir de personne. Après la mort de ma mère, j'ai pris des leçons d'une ancienne danseuse et j'ai voyagé.

— Quelle vie menais-tu, Clara ?

— Ne m'interroge pas. J'étais seule, courtisée... Je n'ai pas toujours su me défendre.

— Où as-tu connu le grand Paul ?

— Valthex ? A Berlin. Je ne l'aimais pas, mais il avait de l'influence sur moi, et je ne me défiais pas de lui... Une nuit, il m'a surprise dans ma chambre, après avoir cassé la serrure. Il a été le plus fort.

— Le misérable !... Et cela a duré ?

— Quelques mois. Puis, à Paris, il a été compromis dans une affaire. On a cerné sa chambre. J'étais avec lui, et j'ai su ainsi que c'était le grand Paul. Epouvantée, tandis qu'il se débattait, je me suis sauvée.

— Et tu t'es cachée en province ? »

Après une hésitation, elle répondit :

« Oui. J'aurais voulu me reprendre et travailler, mais je n'ai pas pu. J'étais sans ressources. Alors j'ai averti le casino que je serais là.

— Mais... la raison de ta visite au marquis ?

— Une dernière fois, j'ai voulu échapper à la vie mauvaise et lui demander protection.

— De là, le voyage à Volnic ?

— Oui, et puis hier soir, seule à Paris, sur un coup de tête, je me suis rendue au théâtre... La joie de danser... et aussi le désir de ne pas manquer à mon engagement... Un engagement de huit jours, d'ailleurs. Je ne voulais pas davantage... j'avais si peur !... Et tu vois, ma peur était fondée...

— Non, dit-il, puisque j'étais là et que te voilà ici, maintenant. »

Elle se blottit dans ses bras. Il murmura :

« Quelle drôle de petite fille tu fais ! Si imprévue !... si incompréhensible !... »

Ils ne bougèrent pas du pavillon, ni ce jour-là, ni les deux jours qui suivirent. Ils lisaient dans les feuilles tout ce qu'on publiait sur l'affaire, informations le plus souvent fantaisistes puisque, cette fois encore, la police n'obtenait point de résultats. La seule supposition qui correspondait à la réalité fut que la danseuse masquée devait être cette Clara la Blonde dont on avait parlé jadis à propos du grand Paul. Quant au nom de Valthex, il n'en fut pas question. Gorgeret et ses hommes ne découvrirent pas la personnalité véritable de leur adversaire. On ne put rien tirer de l'Arabe.

Chaque jour cependant amenait entre Raoul et son amie plus de tendresse et plus de passion.

Il continuait, lui, de répondre à toutes les questions qu'elle lui posait et s'efforçait de satisfaire son inlassable curiosité. Peut-être, par contre, se renfermait-elle de plus en plus dans ce mystère où elle semblait se réfugier comme dans une retraite préférée. Sur tout ce qui était elle-même, sur son passé, sur sa mère, sur ses préoccupations actuelles, sur son âme secrète, sur ses intentions envers le marquis, sur le rôle qu'elle jouait auprès de lui, le silence, un silence farouche, obstiné, douloureux... ou bien des dérobades, des essais d'aveu qui tournaient court.

« Non, non, Raoul, je t'en supplie, ne me demande rien. Ma vie et mes pensées n'ont aucun intérêt... Aime-moi telle que je suis.

— Mais justement, je ne sais pas qui tu es.

— Alors, aime-moi telle que je t'apparais. »

Le jour où elle lui dit cette phrase, il la mena devant une glace et plaisanta :

« Tu m'apparais aujourd'hui avec des cheveux admirables, des yeux d'une pureté infinie, un sourire qui me ravit... et avec une expression qui m'inquiète, où je crois voir — tu ne m'en voudras pas ? — où je crois voir des pensées... que dément tout ton frais visage... Et puis demain, je t'apercevrai autrement. Les mêmes cheveux, les mêmes yeux, mais un sourire différent et une expression où tout me paraît candide et en bonne santé. Ainsi tu changes d'un moment à l'autre. Tantôt tu es la petite provinciale... et tantôt la femme que le destin a déjà troublée et persécutée.

— C'est vrai, dit-elle, il y a deux femmes en moi...

— Oui, reprit-il distraitement... deux femmes qui se combattent... et qui, par moments, s'excluent l'une l'autre... deux femmes qui n'ont pas le même sourire. Car c'est le sourire qui diffère dans tes deux images... tantôt naïf et jeune, avec des coins de bouche relevés... et tantôt plus amer et comme désabusé.

— Laquelle aimes-tu le mieux, Raoul ?

— Depuis hier soir, c'est la seconde... celle qui est la plus mystérieuse et la plus obscure... »

Comme elle se taisait, il l'appela gaiement :

« Antonine ?... Antonine, ou la femme aux deux sourires ? »

Ils avaient marché jusqu'à la fenêtre ouverte. Et elle lui dit :

« Raoul, j'ai quelque chose à te demander.

— D'avance, c'est oui.

— Eh bien, ne m'appelle plus Antonine. »

Il fut surpris.

« Ne plus t'appeler Antonine ? Pourquoi ?

— C'était le nom de la petite provinciale que j'ai été... ingénue et brave devant la vie :

ce nom-là, je l'ai perdu pour m'appeler Clara...
Clara la Blonde...

— Et alors ?

— Appelle-moi Clara... jusqu'à ce que je sois
redevenue celle que j'étais. »

Il se mit à rire.

« Celle que tu étais ? Mais j'y perdrais, chérie ! Si tu étais restée la petite provinciale,
tu ne serais pas là ! Tu ne m'aimerais pas !

— Ne plus t'aimer, Raoul !

— A mon tour, je te le demande : sais-tu
seulement ce que je suis ?

— Tu es toi, fit-elle passionnément.

— En es-tu bien sûre ? Pas moi. J'ai eu tant
de personnalités, j'ai joué tant de rôles, que
je ne m'y reconnais plus. Vois-tu, ma petite
Clara — puisque tu veux que je t'appelle ainsi —
vois-tu, ne rougis jamais devant moi, car, quoi
que tu aies pu faire, j'ai fait davantage.

— Raoul...

— Mais si... une existence d'aventurier comme
la mienne... ce n'est pas toujours très beau.
As-tu jamais entendu parler d'Arsène Lupin ? »

Elle tressaillit :

« Quoi ? Que dis-tu ?

— Rien... rien... c'est un point de compa-
raison que je prenais... Mais tu as raison... A
quoi bon nous accuser nous-mêmes, l'un et
l'autre ? Clara et Antonine, vous êtes aussi

douces et aussi pures l'une que l'autre, et c'est toi que j'aime le mieux, Clara. Et pour moi, si je suis un mauvais sujet, ça ne m'empêche pas d'être un brave homme, et d'être un amoureux, pas toujours fidèle peut-être, mais charmant, attentif, plein de qualités... »

Raoul riait tout en l'embrassant et en répétant à chaque baiser :

« Clara... Clara la douce... Clara la triste... Clara l'énigmatique... »

Elle prononça, en hochant la tête :

« Oui, tu m'aimes... mais tu viens de le dire, tu es un inconstant... Mon Dieu, comme je souffrirai par toi !

— Mais comme tu seras heureuse ! dit-il gaiement. Et puis, je ne suis pas si infidèle que tu le crois. T'ai-je jamais trompée ? »

A son tour, elle se mit à rire.

Durant une semaine, le public et les journaux s'occupèrent du Casino Bleu. Puis, devant l'inanité des recherches et l'effondrement successif de toutes les hypothèses, il n'en fut plus question. Gorgeret d'ailleurs se refusait à toute interview. Les reporters ne découvrirent aucune piste.

Moins soucieuse, Clara sortait sur la fin de l'après-midi, faisant quelques courses dans les magasins des quartiers extérieurs, ou se promenant au Bois. Raoul choisissait également cette heure pour aller à ses rendez-vous et ne l'accompagnait pas, de crainte d'attirer l'attention.

De temps à autre, il passait sur le quai Voltaire, en vue du numéro 63, soupçonnant que le grand Paul devait rôder de ce côté, et que la police y tendrait quelque piège, à l'occasion.

Il ne releva rien de suspect et, désormais, chargea Courville de se tenir à l'affût, en feuilletant les livres dans les étalages des bouquinistes établis sur les parapets. Mais, un jour — c'était le quinzième après l'enlèvement de Clara —, étant revenu lui-même, il aperçut, d'assez loin, Clara qui sortait du numéro 63, montait dans un taxi et s'éloignait dans la direction opposée.

Raoul ne tenta pas de la suivre. Il fit signe à Courville, qui le rejoignit, et il l'envoya aux renseignements près de la concierge. Courville revint au bout de quelques minutes et lui annonça que le marquis n'était pas encore de retour, mais que, deux fois déjà, la jeune femme blonde avait passé devant la loge aux mêmes heures, et qu'elle avait sonné à la porte du marquis. Les domestiques n'étant pas là, elle était partie.

« C'est curieux, pensa Raoul, elle ne m'a rien dit. Que va-t-elle y faire ? »

Il regagna son pavillon d'Auteuil.

Un quart d'heure plus tard, Clara rentrait à son tour, toute fraîche, pleine d'animation.

Il lui demanda :

« Tu t'es promenée au Bois ?

— Oui, dit-elle. L'air m'a fait beaucoup de bien. C'était délicieux de marcher.

— Tu n'as pas été dans Paris ?

— Ma foi non. Pourquoi cette question ?

— Parce que je t'y ai vue. »

Elle dit sans effort :

« Tu m'y as vue... en imagination !

— En chair et en os, comme on dit.

— Pas possible ?

— Comme j'ai l'honneur de te l'affirmer... et j'ai de bons yeux qui ne me trompent jamais. »

Elle le regarda. Il parlait sérieusement, assez gravement même, avec une nuance de reproche dans la voix.

« Où m'as-tu vue, Raoul ?

— Je t'ai vue sortir de la maison du quai Voltaire et t'en aller en voiture. »

Elle eut un sourire gêné.

« Tu en es bien sûr ?

— Certain. Et la concierge, interrogée, prétend que c'est la troisième fois que tu y viens. »

Elle était toute rouge et ne savait quelle contenance garder. Raoul reprit :

« Ces visites n'ont rien que de naturel. Mais pourquoi t'en cacher vis-à-vis de moi ? »

Comme elle ne répondait pas, il s'assit près d'elle, lui saisit doucement la main, et dit :

« Toujours tes mystères, Clara. Combien tu as tort ! Si tu savais où ça peut nous mener tous les deux, cette obstination dans la défiance !

— Oh ! je ne me défie pas de toi, Raoul !

— Non, mais tu fais comme si tu te défiais, et en attendant, les dangers s'accumulent. Parle donc une bonne fois, ma chérie. Ne comprends-tu donc pas qu'un jour ou l'autre, je saurai ce que tu n'auras pas voulu me révéler, et qui sait alors s'il ne sera pas trop tard ? Parle, ma chérie. »

Elle fut sur le point d'obéir. Ses traits se détendirent un moment et ses yeux prirent une expression de tristesse et de désarroi comme si elle redoutait d'avance les mots qu'elle allait prononcer. A la fin, elle n'en eut pas le courage, et elle fondit en larmes, son visage entre les mains.

« Pardonne-moi, balbutiait-elle. Et dis-toi bien que ça n'a pas d'importance que je parle ou non... Ça ne peut rien changer à ce qui est ni à ce qui sera... C'est une toute petite chose insignifiante pour toi... mais si grave pour moi !... Les femmes, tu sais, ce sont des enfants...

Elles se font des idées !... Peut-être ai-je tort...
Mais je ne peux pas... pardonne-moi. »

Il eut un geste d'impatience.

« Soit, dit-il. Mais j'insiste de la façon la
plus formelle pour que tu ne retournes pas
là-bas. Sans quoi, un jour ou l'autre, tu y ren-
contrerais soit le grand Paul, soit quelqu'un de
la police. Est-ce cela que tu veux ? »

Elle s'inquiéta aussitôt.

« Mais n'y va pas non plus, toi. Tu cours
le même danger que moi. »

Il promit. La jeune femme s'engagea à n'y
pas aller, et même à ne pas sortir du pavillon
avant que quinze jours se fussent écoulés...

XIII

LE GUET-APENS

RAOUL ne se trompait pas en avançant que la maison du quai Voltaire était surveillée. Mais elle ne le fut pas d'une façon régulière et constante, ce qui aurait entraîné tout de suite les chocs qu'il redoutait. Gorgeret eut le tort, au point de vue policier, de ne faire sur le quai que de courtes apparitions et de s'en remettre à son escouade, tout en laissant d'ailleurs à celle-ci trop de latitude dans l'exécution de ses ordres. C'est ainsi que les visites de la jolie blonde, aussi bien que les rondes souvent imprudentes de Courville, passèrent inaperçues. En outre, Gorgeret fut trahi par la concierge, qui recevait de l'argent de Raoul par l'intermédiaire de Courville, et de Valthex par l'intermédiaire d'un de ses complices, et qui ne lui fournit que des renseignements vagues et contradictoires.

La surveillance de Valthex fut plus serrée.

Depuis une demi-semaine, un type de rapin, au feutre à grands bords, aux longs cheveux grisonnants, à la taille courbée en deux, et porteur d'une boîte de peinture, d'un chevalet et d'un pliant, venait s'installer dès dix heures du matin sur le trottoir opposé, à cinquante mètres de l'hôtel Erlemont et écrasait sur sa toile des couches de pâtes coloriées qui préten- daient reproduire les bords de la Seine et la silhouette du Louvre. C'était le grand Paul. C'était Valthex. Les policiers pensèrent d'autant moins à examiner ce rapin que sa tenue était plus extravagante et que sa peinture attirait plus de curieux.

Mais le grand Paul s'en allait vers cinq heu- res et demie, et il ne vit point la jolie blonde, celle-ci n'arrivant que plus tard.

C'est ce qu'il apprit ce jour-là, lendemain du jour où Raoul était venu. Il avait con- sulté sa montre et donnait les derniers coups de pinceau, lorsqu'une voix chuchota près de lui :

« Ne bougez pas. C'est moi, Sosthène. »

Trois ou quatre personnes étaient groupées autour d'eux. Une à une, elles s'éloignèrent. D'autres s'arrêtèrent.

Sosthène, un gros bourgeois à tournure de pêcheur à la ligne, murmura, de manière à n'être entendu que de Valthex, et tout en se penchant vers le tableau avec l'intérêt d'un connaisseur :

« Vous avez lu les journaux de l'après-midi ?

— Non.

— L'Arabe a été interrogé de nouveau. Vous aviez raison : c'est bien lui qui vous a trahi et qui a donné l'indication du Casino Bleu. Mais il ne veut pas en dire davantage et refuse de marcher contre vous. Il n'a livré ni le nom de Valthex, ni celui de Raoul, et ne souffle pas mot de la petite. Donc, de ce côté, tout va bien. »

Sosthène se releva, examina le tableau sous un autre angle, lorgna la Seine et s'inclina encore, tenant à la main un binocle qu'il braquait à des intervalles divers. Et il poursuivit :

« Le marquis rapplique de Suisse après-demain. C'est la petite qui est venue hier et qui l'a dit à la concierge, pour qu'elle le redise aux domestiques. Donc, la petite et le marquis correspondent. Où demeure-t-elle ? Impossible de le savoir. Quant à Courville, il a encore fait déménager quelques meubles, et j'ai la preuve que c'est bien lui. Donc, il travaille avec le sieur Raoul et se promène aussi par là, m'a dit la concierge. »

Le rapin, tout en prêtant l'oreille, avait dressé son pinceau dans l'espace, comme pour prendre des mesures. Le complice dut considérer ce geste comme un signal, car il jeta un coup d'œil du côté indiqué et aperçut un vieillard mal vêtu qui bouquinait à même un étalage du parapet. S'étant retourné, le vieillard exhiba une barbe blanche si admirable et si carrée qu'il n'y avait pas moyen de s'y tromper.

Sosthène murmura :

« J'ai vu. C'est Courville. Je m'accroche à lui. Rendez-vous ce soir chez le bistrot d'hier. »

S'éloignant, il se rapprocha peu à peu de Courville. Celui-ci effectua quelques évolutions destinées sans nul doute à faire perdre sa piste à quiconque, le suivrait, mais comme il pensait à tout autre chose qu'à examiner la tête des gens, il ne remarqua ni le grand Paul ni son complice, et s'en fut vers Auteuil en remorquant le bourgeois à l'aspect du pêcheur à la ligne.

Le grand Paul attendit une heure. Clara ne vint pas ce soir-là. Mais, Gorgeret apparaissant à l'horizon, il ramassa vivement son attirail de peintre et s'esquiva.

Le soir, les hommes de sa bande se retrouvaient au Petit-Bistrot de Montparnasse qui avait remplacé pour eux le bar des Ecrevisses.

Sosthène les rejoignit.

« Ça y est, dit-il. C'est dans un pavillon, à

Auteuil, avenue du Maroc, 27. Courville a sonné
à la grille du jardin. La grille s'est ouverte
toute seule. Sur le coup de huit heures moins
le quart, j'ai vu rentrer la petite à son tour.
Même cérémonie : elle a sonné, la grille s'est
ouverte.

— Et lui, tu l'as vu ?

— Non. Mais, pas de doute à ce propos. »
Le grand Paul réfléchit et conclut :

« Tout de même... avant d'agir... je veux me
rendre compte... Amène-moi l'auto demain
matin, à dix heures. Et je te jure Dieu que,
si ça y est, Clara n'y coupe pas. Ah ! la garce ! »

Le lendemain matin, un taxi s'arrêtait à la
porte de l'hôtel meublé où couchait à ce
moment le grand Paul. Il y monta. Au volant
s'étalait ventru, rubicond, chapeau de paille
sur la tête, le complice Sosthène.

« En route ! »

Le chauffeur était habile. Rapidement, ils
gagnèrent Auteuil et l'avenue du Maroc, large
voie plantée de jeunes arbres et tracée parmi
d'anciens jardins et domaines récemment lotis.
Le pavillon de Raoul était un vestige d'une
de ces propriétés.

L'auto s'arrêta plus loin. Le grand Paul, bien
caché dans le taxi, pouvait voir, par la glace
arrière, à trente pas, la grille du pavillon et
les fenêtres du premier étage, toutes deux

ouvertes. Sur le siège, le chauffeur lisait son
journal.

De temps en temps, ils échangeaient quelques
paroles. Le grand Paul s'irritait :

« Sacrédié ! le pavillon semble inhabité. Depuis une heure, personne ne bouge.

— Parbleu ! ricanait le gros homme. Des
amoureux, c'est pas pressé de se lever... »

Vingt minutes encore s'écoulèrent. Puis la
demie de onze heures sonna.

« Ah ! la gueuse, mâchonna le grand Paul,
le visage à la vitre. Et lui ! le misérable ! »

A l'une des fenêtres apparaissaient Raoul et
Clara. Ils s'accoudèrent sur le barreau du petit
balcon. On voyait leurs bustes serrés l'un contre
l'autre, leurs figures souriantes et heureuses, les
cheveux éclatants de Clara la Blonde.

« Foutons le camp ! ordonna le grand Paul,
dont la face était contractée de haine... Je les
ai assez vus... La gredine !... C'est son arrêt de
mort, ça ! »

L'auto démarra et fila vers le quartier popu-
leux d'Auteuil.

« Halte ! cria le grand Paul. Et suis-moi. »

Il sauta sur le trottoir et ils entrèrent dans
un café où consommaient de rares clients.

« Deux vermouths... et de quoi écrire ! »
commanda-t-il.

Longtemps il réfléchit, la bouche crispée,

l'expression féroce. Puis il bredouilla, disant à voix basse la suite de ses idées :

« C'est ça... oui... c'est ça... elle tombera dans le piège... c'est réglé... Puisqu'elle l'aime, elle y tombera... Et alors, je la tiens... Elle cédera... Sinon, tant pis pour elle ! »

Un silence. Et il interrogea :

« Dommage que je n'aie pas de son écriture à lui... Tu n'en as pas, toi ?

— Non. Mais... j'ai une lettre de Courville, chipée sur le bureau de l'entresol. »

Le visage du grand Paul s'éclaira.

« Donne. »

Il étudia l'écriture. Il copia des mots, s'appliqua aux majuscules. Puis, prenant une feuille de papier, il griffonna en hâte quelques lignes, qu'il signa Courville.

Sur une enveloppe, il mit comme adresse, de la même écriture imitée :

Mademoiselle Clara, 27, avenue du Maroc.

« Quel numéro ? 27... Bien... Maintenant, écoute-moi et rappelle-toi bien toutes mes paroles. Je te laisse. Oui, si je restais ici, je ferais une bêtise. Donc, déjeune. Après quoi, va reprendre ta faction. Logiquement, Raoul et Clara doivent sortir chacun de son côté, et Raoul le premier, puisque Clara va se promener. Une heure, une heure et demie après la sortie de Raoul, tu arrives devant le pavillon avec ton auto, tu sonnes, on t'ouvre, tu prends un air agité et tu fais passer cette lettre à la petite. Lis. »

Sosthène lut et hocha la tête.

« L'endroit est mal choisi. Un rendez-vous au quai Voltaire ! Quelle gaffe ! Elle n'ira pas.

— Elle ira, parce qu'elle n'aura pas l'idée de se défier. Comment supposerait-elle que j'aie choisi cet endroit pour lui tendre un piège ?

— Soit. Mais Gorgeret ? Gorgeret qui peut la voir... qui peut vous voir, patron...

— Tu as raison. Tiens, tu vas porter ce pneumatique à la poste. »

Il écrivit : « *La police est avertie que le grand Paul et ses amis se réunissent chaque jour à l'apéritif au Petit-Bistrot de Montparnasse.* »

Et il expliqua :

« Gorgeret se rendra là-bas. L'enquête immédiate qu'il fera lui prouvera que le renseignement est juste, et il nous attendra. Nous en serons quittes pour aller désormais ailleurs. Préviens les camarades.

— Et si Raoul ne sort pas du pavillon, ou bien sort trop tard ?

— Tant pis. On remettrait ça à demain. »

Ils se quittèrent. Après son déjeuner, Sosthène retourna prendre sa faction.

Raoul et son amie demeurèrent pendant plus

de quatre heures dans le petit bout de jardin qui précédait le pavillon. La chaleur était lourde, et ils causaient paisiblement, protégés du soleil par les branches d'un vieux sureau.

Au moment de partir, Raoul observa :

« La jolie blonde est mélancolique aujourd'hui. Des idées noires ? Des pressentiments ?

— Je ne veux plus croire aux pressentiments depuis que je te connais. Mais tout de même, je suis triste quand nous nous séparons.

— Pour quelques heures.

— C'est encore trop. Et puis ta vie... si secrète !...

— Veux-tu que je te la raconte et que je te mette au courant de mes bonnes actions ? Seulement, il faudra écouter le récit des mauvaises ! »

Après un instant, elle répondit :

« Non. J'aime mieux ne pas savoir.

— Comme tu as raison ! dit-il en riant. Moi aussi j'aimerais mieux ne pas savoir ce que je fais. Mais j'ai une sacrée lucidité qui m'oblige à voir clair même quand je ferme les yeux. A tantôt, chérie, et n'oublie pas que tu m'as promis de ne pas bouger.

— Et n'oublie pas, toi, que tu m'as promis de ne pas t'aventurer du côté des quais. »

Clara ajouta, plus bas :

« Au fond, c'est cela qui m'obsède... les dangers que tu cours...

— Je ne cours jamais de danger.

— Si. Quand j'imagine ton existence, en dehors de ce pavillon, je t'aperçois au milieu de bandits qui se jettent sur toi, de policiers qui t'en veulent... »

Il acheva :

« De chiens qui essaient de me mordre, de tuiles qui cherchent à me tomber sur la tête, de flammes qui rêvent de me brûler !

— C'est cela ! C'est cela ! » dit-elle, prise de gaieté à son tour.

Elle l'embrassa passionnément, puis le conduisit jusqu'à la grille.

« Dépêche-toi, mon Raoul ! Il n'y a qu'une chose importante, c'est d'être auprès de moi. »

Elle s'assit dans le jardin, tâcha de lire ou de s'intéresser à un ouvrage de broderie, puis, une fois rentrée, voulut se reposer et dormir. Mais elle était tourmentée et n'avait de cœur à rien.

De temps à autre, elle se regardait dans un petit miroir. Comme elle était changée ! Que de signes de déchéance ! Les yeux se cernaient de bleu. La bouche était lasse, le sourire désolé.

« Qu'importe, se disait-elle, puisqu'il m'aime comme je suis. »

Les minutes s'écoulaient, interminables.

La demie de cinq heures retentit.

Et voilà que le bruit d'une auto qui s'arrêtait la jeta vers la fenêtre. De fait, l'auto stationnait devant la grille. Un gros chauffeur en descendit et sonna.

Elle vit le valet de chambre qui traversa le jardin et qui revint avec une lettre dont il examinait l'enveloppe.

Ayant monté, il frappa et tendit la missive. « *Mademoiselle Clara, 27, avenue du Maroc.* » Elle ouvrit l'enveloppe et lut. Un cri s'étrangla dans sa gorge, et elle balbutia :

« J'y vais... j'y vais. »

Le valet de chambre observa :

« Puis-je rappeler à madame que le patron... » Sans hésitation, il lut à son tour :

« *Mademoiselle, le patron a été blessé sur le palier. Il est couché dans son bureau de l'entresol. Tout va bien. Mais il vous réclame. Respectueusement.* — COURVILLE. »

L'écriture était si bien imitée que le valet de chambre, qui la connaissait, ne songea pas à retenir Clara. D'ailleurs, eût-il été possible de la retenir ?

Clara s'enveloppa d'un vêtement, courut à travers le jardin, aperçut la figure débonnaire de Sosthène, l'interrogea, et, sans attendre la réponse, monta dans la voiture.

XIV

RIVALITÉ

Pas une seconde, l'idée ne vint à Clara qu'il
pût y avoir stratagème et embûche. Raoul était
blessé, mort peut-être. En dehors de cette épouvantable réalité, rien ne comptait. Si elle arrivait à réfléchir, dans le tumulte de son cerveau,
elle examinait seulement les divers incidents qui
avaient pu se présenter : visite de Raoul dans la
maison du 63, rencontre avec Gorgeret ou avec
le grand Paul, choc, bataille, transport du blessé
dans l'entresol. Elle n'envisageait que des drames
et des catastrophes, et la blessure prenait l'aspect,
visible pour elle, d'une abominable plaie par
où s'écoulaient des flots de sang.

Mais une blessure, c'était l'hypothèse la plus
favorable, et à laquelle elle ne croyait guère.
La vision de la mort ne la quittait pour ainsi
dire pas, et il lui semblait que les formules
employées par Courville dans sa lettre hâtive
eussent été différentes si le dénouement de la

bataille avait été moins grave. Non, Raoul était
mort. Elle n'avait pas le droit de mettre en doute
cette mort qu'elle apercevait tout à coup comme
un événement que les circonstances avaient préparé depuis longtemps. Le destin, en rappro-
chant d'elle Raoul, exigeait cette mort inévi-
table. Un homme aimé de Clara et qui aimait
Clara devait mourir fatalement.

Pas un instant non plus elle ne pensa aux
conséquences que son arrivée près du cadavre
pouvait avoir pour elle. Que le choc se fût produit entre Raoul et Gorgeret, ou entre Raoul
et le grand Paul, il n'en était pas moins certain que la police occupait l'entresol du quai
Voltaire. Donc la police, en apercevant Clara la
Blonde, mettrait aussitôt la main sur cette proie
si vainement cherchée jusqu'ici. Cette éventua-
lité ne lui apparut même pas, ou, alors, elle lui
sembla insignifiante. Que lui importait d'être
arrêtée et jetée en prison, si Raoul ne vivait
plus ?

Mais elle n'avait plus la force d'enchaîner les
idées qui l'obsédaient. Elles passaient au fond
d'elle en phrases incohérentes, ou plutôt en brèves images, qui se succédaient en dehors de
toute logique. Il s'y mêlait la vision de paysa-
ges qui se présentaient à ses yeux, rives de la
Seine, maisons, rues, trottoirs, gens qui mar-
chaient, et tout cela se déroulait si lentement

qu'elle criait de temps à autre au chauffeur :

« Vite ! Dépêchez-vous ! Vous n'avancez pas... »

Sosthène tournait vers elle sa bonne figure cordiale en ayant l'air de dire :

« Rassurez-vous, ma petite dame, nous arrivons. »

De fait, ils arrivèrent.

Elle sauta sur le trottoir.

Il refusa l'argent qu'elle lui offrait. Elle jeta le billet sur le siège, sans faire attention, et courut dans le vestibule du rez-de-chaussée. Elle ne vit pas la concierge, qui était dans la cour intérieure, et elle monta rapidement, étonnée que tout fût si calme et que personne ne vînt vers elle.

Sur le palier, personne non plus. Aucun bruit.

Cela la surprenait, mais rien n'eût rebuté son élan. Elle se précipitait vers son mauvais destin avec une fougue où il y avait presque l'espoir d'en finir elle-même et le désir inconscient que sa mort se mêlât à la mort de Raoul.

La porte était entrebâillée.

Ce qui se passa, elle ne s'en rendit pas un compte exact. Une main l'atteignit au visage, cherchant sa bouche pour la bâillonner d'un foulard roulé en boule, tandis qu'une autre main la saisissait à l'épaule, et la bousculait avec tant de brutalité qu'elle perdit l'équilibre, trébucha et fut lancée dans la pièce principale où elle tomba tout de son long, la face contre le parquet.

Alors, tranquillement, soudain rasséréné, Valthex ferma le verrou de sûreté, ferma derrière lui la porte du salon et se pencha un peu vers la femme étendue.

Elle n'était pas évanouie. Elle sortit vite de sa torpeur et comprit aussitôt le piège où on l'avait attirée. Elle ouvrit les yeux et regarda Valthex avec épouvante.

Et Valthex, en face de cette adversaire impuissante, inerte, vaincue, désespérée, se mit à rire, mais à rire d'un rire qu'elle n'avait jamais entendu, où il y avait tant de cruauté que c'eût été folie que de s'adresser à sa compassion.

Il la releva et l'assit sur le divan, seul siège qui restât avec le grand fauteuil. Puis, ouvrant les portes des deux chambres contiguës, il dit :

« Les chambres sont vides. L'appartement est barricadé. Personne ne peut te secourir, Clara, personne, pas même ton bon ami, et lui moins encore que quiconque au monde, car j'ai lancé la police sur ses traces. Donc, tu es perdue, et tu sais ce qui te reste à faire. »

Il répéta :

« Tu sais ce qui te reste à faire, hein ? ce qui t'attend ? »

Il écarta le rideau d'une fenêtre. L'auto était

là. Sosthène veillait, debout sur le trottoir, l'œil
à l'affût. Valthex ricana de nouveau :

« Nous sommes gardés de tous côtés, et bien
gardés. Durant une heure, nous sommes tran-
quilles. Et en une heure, il se passe tant de
choses ! Tant de choses, alors qu'il me suffit
d'une seule. Après quoi, bien d'accord, nous par-
tirons ensemble. Notre voiture est en bas... On
pourra prendre un train... et ce sera la bonne
vie de voyage... C'est convenu ? »

Valthex fit un pas en avant.

Clara tremblait des pieds à la tête. Elle baissa
les yeux sur ses mains, pour les obliger à se
tenir immobiles, mais ses mains continuaient à
trembler comme des feuilles, et ses jambes également, et tout son corps, qu'elle sentait à la fois
fiévreux et glacé.

« Tu as peur, hein ? » dit-il.

Elle balbutia :

« Je n'ai pas peur de mourir.

— Non, mais de ce qui va se passer. »

Elle hocha la tête.

« Il ne se passera rien.

— Si, fit-il, quelque chose d'extrêmement important, et qui est la seule chose à laquelle je
tienne. Tu te rappelles ce qui s'est déjà passé
entre nous, la première fois... et toutes les fois
depuis, pendant tout le temps où nous avons
vécu ensemble. Tu ne m'aimais pas... j'irai

jusqu'à dire que tu me détestais. Mais tu étais la plus faible... Et, de guerre lasse, exténuée... alors... Tu te souviens ? »

Il s'approcha. Elle recula sur le divan, les bras raidis pour le repousser. Il plaisanta :

« Tu te prépares... comme autrefois... Tant mieux... Je ne te demande pas d'accepter... Au contraire... Quand je t'embrasse, j'aime bien mieux que ce soit de force... Il y a longtemps que j'ai abandonné tout amour-propre... »

Son visage devenait odieux, atroce de haine et de convoitise. Ses doigts se crispaient, pour saisir, pour étreindre ce cou frêle, qui se convulsait aussitôt, dans un râle d'agonie...

Clara s'était dressée, debout sur le divan, d'où elle sauta pour s'abriter derrière le fauteuil. Il y avait un revolver qui traînait dans le tiroir entrebâillé d'une table. Elle essaya de s'en emparer, n'en eut pas le temps, se sauva dans la pièce, courut, manqua de tomber, et finalement, fut empoignée par les terribles doigts qui, tout de suite, la serrèrent à la gorge et lui enlevèrent toute force.

Elle fléchit sur ses genoux. Elle fut renversée contre le divan. Sa taille ployait. Elle sentait qu'elle allait perdre connaissance...

Mais l'effroyable étreinte se relâcha un peu. Le timbre du vestibule avait sonné, et le tintement se prolongeait dans la pièce en écho léger. Le grand Paul, ayant tourné la tête de ce côté, tendait l'oreille. Aucun autre bruit nouveau. Le verrou était mis. Qu'y avait-il à craindre ?

Il allait de nouveau serrer sa proie, quand il poussa un gémissement effaré. Son regard avait été attiré par un jaillissement de lumière qui bougeait entre les deux fenêtres, et il demeura stupéfait, ahuri, incapable de comprendre la sorte de phénomène miraculeux qui se produisait en dehors de toute réalité et de toute explication plausible.

« Lui !... lui !... » murmura-t-il, confondu.

Etait-ce une hallucination ? un cauchemar ? Il voyait distinctement dans la clarté d'un écran lumineux qui eût été un écran de cinéma, il voyait la figure épanouie de Raoul. Non pas une figure de portrait, mais une figure vivante, avec des yeux qui remuaient et le sourire agréable et joyeux d'un monsieur qui se présente et qui a l'air de dire :

« Eh bien, oui, c'est moi. Vous ne m'attendiez pas, hein ? et vous êtes content de me voir ? Je suis peut-être un peu en retard. Mais on va se rattraper. Me voici. »

De fait, il y eut un bruit de clef qu'on introduit dans une serrure, un autre bruit de clef dans le verrou de sûreté, un bruit de porte qu'on pousse... Valthex s'était relevé et regardait, épouvanté. Clara écoutait, le visage détendu.

La porte fut ouverte, non pas sous la poussée violente d'un intrus ou d'un agresseur, mais sous le geste paisible de quelqu'un qui rentre chez soi, et qui est heureux d'y rentrer parce qu'il va trouver tout en ordre, les objets à leur place, et de bons amis en train de parler affectueusement de lui.

Sans gêne ni précaution, il passa près de Valthex et ferma l'écran lumineux, et il dit à son adversaire :

« Ne prends pas cet air de candidat à la guillotine. C'est peut-être le sort qui t'est réservé, mais, pour l'instant, tu es à l'abri de tout danger. »

Puis, s'adressant à Clara :

« Voilà ce que c'est, petite fille, que de désobéir à Raoul. Le monsieur t'a écrit une lettre, sans doute ? Fais voir. »

Elle lui tendit un chiffon de papier, sur lequel il jeta un coup d'œil.

« C'est de ma faute, fit-il, j'aurais dû prévoir ce piège-là. Il est classique, et jamais une amoureuse ne manque de s'y jeter la tête la première. Mais maintenant, petite fille, il ne faut plus avoir peur. Vite, sourions. Tu vois bien comme il est inoffensif ! un mouton... un mouton abruti... C'est qu'il se rappelle nos rencontres précédentes, le grand Paul, et qu'il ne va pas se risquer à engager une nouvelle bataille, hein, Valthex ? On est devenu raisonnable, n'est-ce pas ? Raisonnable, mais stupide. Comment, diable ! as-tu laissé ton chauffeur sur le quai ? Surtout qu'il a une gueule spéciale, ton chauffeur !... J'ai tout de suite reconnu le bonhomme qui stationnait ce matin sur l'avenue du Maroc. Une autre fois, demande-moi conseil. »

Valthex cherchait à se remettre de son désarroi. Il serrait les poings. Il fronçait les sourcils. Le persiflage de Raoul l'exaspérait, ce qui encourageait Raoul à continuer :

« Non, vrai, rebiffe-toi, mon vieux ! Puisque je te dis que la guillotine, c'est pas encore pour aujourd'hui. Tu as tout le temps de t'y habituer. Aujourd'hui, il s'agit tout simplement d'une petite formalité qui consistera à t'attacher les mains et les pieds avec beaucoup de douceur et de respect. La chose faite, je téléphone à la Préfecture, et Gorgeret vient prendre livraison. Tu vois, le programme est enfantin... »

La rage de Valthex croissait à chaque parole. L'accord de Raoul et de Clara, si visible, si profond, le mettait hors de lui. Clara n'avait plus peur, Clara souriait presque, et se moquait de lui avec son amant.

C'est l'idée de cette situation burlesque et de son humiliation devant la jeune femme qui le

redressa. A son tour, il prit l'offensive et il attaqua avec précision et la colère contenue d'un
homme qui se sait en possession d'armes dange-
reuses et qui est résolu à s'en servir.

Il s'assit sur le fauteuil, et, martelant ses phrases, frappant du pied :

« Alors, c'est cela, décidément, que tu veux,
dit-il... me livrer à la justice ? Tu l'as essayé au
bar de Montmartre, puis au Casino Bleu, et
maintenant tu voudrais profiter du hasard qui
t'a encore mis sur mon chemin ? Soit. Je ne
crois pas que tu réussisses. Mais, en tout cas,
il faut que tu saches exactement à quoi abou-
tirait ta réussite. Il faut qu'elle le sache, elle
surtout. »

Il se tourna vers Clara, qui restait immobile
sur le divan, plus calme, mais encore crispée,
anxieuse.

« Vas-y, mon vieux, dit Raoul, vas-y de ta
petite histoire.

— Une petite histoire pour toi, peut-être,
dit Valthex, mais une chose qui aura du poids
pour elle, sois-en sûr. Tiens, regarde comme elle
m'écoute. Elle n'ignore pas que je ne plaisante
jamais, moi, et que je ne perds pas mon temps
à discourir. Quelques mots seulement, mais qui
comptent. »

Il se pencha vers Clara, et, les yeux dans les
yeux :

« Tu sais qui est le marquis par rapport à
toi ?

— Le marquis ? fit-elle.

— Oui, un jour, tu m'as confié qu'il avait
connu ta mère.

— Il l'a connue, oui.

— J'ai bien deviné, à ce moment-là, que tu
avais quelques soupçons de la vérité, mais aucune preuve.

— Quelle sorte de preuve ?

— Ne biaise pas. Ce que tu es venue chercher, la nuit, chez d'Erlemont, c'est la preuve
dont je te parle. Or, dans le tiroir secret, que
j'ai fouillé, pour ma part, un peu avant toi, tu
as précisément trouvé la photographie de ta
mère avec une dédicace qui ne laisse aucun
doute. Ta mère a été la maîtresse, une des mille
et une maîtresses du marquis, et tu es la fille de
Jean d'Erlemont. »

Elle ne protesta point. Elle attendit la suite
des paroles. Il continua :

« Je t'avoue que c'est là un point secondaire,
et, si j'y fais allusion, c'est simplement pour que
cette vérité-là soit bien établie. Jean d'Erlemont
est ton père. J'ignore quels sont tes sentiments pour lui, mais c'est un fait qui doit
influer sur ta conduite. Jean d'Erlemont est ton
père. Or,... »

Valthex mit dans son intonation et dans son

attitude plus de gravité encore, presque de la
solennité.

« Or, sais-tu au juste quel a été le rôle de
ton père dans le drame du château de Volnic ?
Ce drame, tu en as entendu parler, n'est-ce pas ?
ne fût-ce que par ton amant (avec quelle grimace furieuse Valthex prononça ce mot !) et tu
sais qu'une dame Elisabeth Hornain, qui était
ma tante, a été assassinée et dépouillée de ses
bijoux. Or, sais-tu le rôle de ton père, là-dedans ? »

Raoul haussa les épaules.

« Question idiote. Le marquis d'Erlemont n'a
joué d'autre rôle que celui d'invité. Il se trouvait au château, voilà tout.

— C'est la version de la police. Elle diffère
de la réalité.

— Et cette réalité, selon toi ?

— Elisabeth Hornain a été volée et assassinée
par le marquis d'Erlemont. »

Valthex proféra cette phrase en frappant du
poing et en se levant. Raoul y répondit par
un éclat de rire.

« Ah ! quel numéro que ce Valthex ! Un humoriste, un véritable humoriste !... »

Indignée, Clara balbutiait :

« Vous mentez !... Vous mentez ! Vous n'avez
pas le droit... »

Valthex répéta la phrase avec plus de violence

et un ton de provocation rageuse. Cependant, il parvint encore à se dominer et, reprenant sa place, il développa son accusation.

« J'avais vingt ans à cette époque-là, et je ne savais rien de la liaison d'Elisabeth Hornain. C'est dix ans plus tard que le hasard de lettres trouvées dans ma famille me révéla cette liaison, et que je me demandai pourquoi le marquis n'en avait pas soufflé mot à la justice. J'ai donc refait l'instruction à moi seul, j'ai sauté le mur du château, et qu'est-ce que j'aperçois, un matin, se promenant avec le garde et faisant une battue dans les ruines ? Jean d'Erlemont. Jean d'Erlemont, propriétaire secret du château ! Dès lors, j'ai cherché, j'ai lu les journaux de l'époque, ceux d'Auvergne et ceux de Paris. Dix fois je suis retourné à Volnic, fouinant partout, questionnant les gens du village, me glissant dans la vie du marquis, m'introduisant chez lui durant ses absences, fouillant ses tiroirs, décachetant ses lettres, et tout cela avec une idée directrice, qui n'avait pas guidé le Parquet, c'est qu'il fallait éplucher tout les faits et gestes de celui qui avait caché une vérité extrêmement grave.

— Et tu as trouvé des choses nouvelles, mon vieux ? Ce que tu es malin !

— J'ai trouvé des choses nouvelles, affirma posément Valthex, et mieux encore, j'ai relié entre eux plusieurs détails qui, logiquement,

donnent à la conduite de Jean d'Erlemont son
sens réel.

— Dégoise.

— C'est Jean d'Erlemont qui avait fait
inviter Elisabeth Hornain par Mme de Jouvelle.
C'est lui qui a obtenu d'Elisabeth Hornain
qu'elle voulût bien chanter dans les ruines, c'est
lui qui a indiqué l'endroit des ruines où son
apparition ferait le plus grand effet, c'est lui
enfin qui a conduit Elisabeth Hornain à travers
le jardin et jusqu'en bas des marches.

— Aux yeux de tout le monde.

— Non, pas tout le temps. Entre le moment
où ils ont tourné l'angle du premier palier et
celui où Elisabeth a reparu seule, à l'extrémité
d'une avenue d'arbustes qui les cachaient, il y
a eu un intervalle d'environ une minute, plus
long qu'il n'eût fallu pour parcourir cette petite
étape. Que s'est-il passé durant cette minute ?
Il est facile de l'établir quand on admet cette
supposition, fondée sur plusieurs témoignages de
domestiques insuffisamment questionnés, à savoir
que, quand on a revu Elisabeth à ce moment,
puis au sommet des ruines, elle n'avait plus de
collier. »

Raoul haussa de nouveau les épaules.

« Alors, il les aurait volés sans qu'Elisabeth
Hornain protestât ?

— Non, mais elle les lui a confiés, estimant

que ces bijoux n'étaient pas dans le style des
airs qu'elle allait chanter, scrupule absolument
conforme au caractère d'Elisabeth Hornain.

— Et après, étant revenu au château, il l'a
tuée, pour ne pas être obligé de les rendre !
Il l'a tuée, de loin, par l'opération du Saint-
Esprit !

— Non. Il l'a fait tuer. »

Raoul s'impatienta.

« Mais on ne supprime pas une femme qu'on
aime pour s'approprier des bijoux de théâtre,
des rubis et des saphirs en toc.

— Certes. Mais on peut s'y résoudre quand
ces bijoux sont vrais et qu'ils valent des millions.

— Allons donc ! Elisabeth elle-même procla-
mait que ces bijoux étaient faux.

— Elle y était contrainte.

— Pourquoi ?

— Elle était mariée... et ces bijoux, elle les
tenait d'un Américain dont elle avait été la
maîtresse. Vis-à-vis de son mari, vis-à-vis de ses
camarades qui l'eussent jalousée, Elisabeth Hornain garda le secret. De cela j'ai toutes les
preuves écrites, et j'ai des preuves aussi de la
beauté incomparable de ces pierres précieuses. »

Raoul se taisait, avec une impression de gêne,
et observait Clara, qui avait caché sa figure
entre ses mains. Il demanda :

« Et le crime aurait été commis par qui ?

— Par un individu dont personne ne s'est occupé, et dont tout le monde ignora même la présence au château... Gassiou, un pauvre diable de berger, un innocent, comme on dit, pas fou, mais simple d'esprit. Il est prouvé que d'Erlemont allait souvent voir Gassiou durant les séjours qu'il faisait chez les Jouvelle, et qu'il lui a donné des vêtements, des cigares, de l'argent même. Pourquoi ? Dans quel but ? A mon tour, j'ai fréquenté le sieur Gassiou... j'ai tiré de lui des bribes d'aveu où il essayait de me parler d'une femme qui chantait... et qui tombait en chantant... Confidences inachevées, incohérentes. Mais, un jour, je le surpris qui faisait tournoyer une fronde grossière et qui visait un oiseau de proie volant au-dessus de lui. Le caillou jaillit de sa fronde et tua l'oiseau. Ce fut une révélation. J'étais fixé. »

Il y eut un silence. Puis Raoul dit :

« Et après ?

— Après ? Mais la vérité s'impose. Gassiou, dressé, soudoyé par le marquis, s'est juché, ce jour-là, au sommet de quelque mur des ruines, et son projectile a blessé mortellement Elisabeth Hornain. Ensuite, il s'est esquivé.

— Hypothèse !

— Certitude.

— Tu as des preuves ?

— J'en ai, et d'irréfutables.

— De sorte que ?... demanda Raoul d'une voix distraite.

— De sorte que, si la justice met jamais la main sur moi, j'accuse le marquis d'avoir tué Elisabeth Hornain. Je livre tout mon dossier, j'établis qu'à cette époque d'Erlemont était gêné, qu'il recherchait déjà, par l'intermédiaire d'une agence, un héritage dont il avait été frustré, et que, depuis, il n'a pu soutenir le train qu'il a mené durant quinze ans que grâce au produit de son vol. En outre, en tant que neveu, je réclame ces bijoux, ou du moins des dommages-intérêts équivalant à la valeur des bijoux.

— Tu n'auras pas un liard.

— Soit. Mais d'Erlemont sera déshonoré et il ira en prison. Il en a si peur que, bien qu'il ignore ce que je sais sur lui, il ne m'a jamais refusé d'argent. »

XV

LE MEURTRE

Raoul arpenta la pièce en réfléchissant. Clara ne bougeait toujours pas, absorbée, et la figure invisible. Valthex, debout, croisait les bras, l'air arrogant.

Raoul s'arrêta devant lui.

« Somme toute, tu n'es qu'un maître chanteur.

— J'ai voulu d'abord venger ma tante Elisabeth. Aujourd'hui, le dossier que j'ai réuni est une sauvegarde. J'en profite. Laisse-moi passer. »

Raoul ne le quittait pas des yeux.

« Et ensuite ? demanda-t-il.

— Ensuite ? »

Valthex crut qu'il avait partie gagnée, que sa menace avait porté et qu'il pouvait aller jusqu'au bout de sa victoire. L'attitude de Clara l'accrochait à cette idée.

« Ensuite, dit Valthex, ma maîtresse me rejoindra. Dans une heure, j'exige qu'elle

soit chez moi, à l'adresse que je vais lui donner.

— Ta maîtresse ?

— Celle-ci », dit Valthex en montrant la
jeune femme.

Raoul avait pâli. Il scanda :

« Tu as donc toujours la prétention ?... Tu
espères donc ?

— Je n'espère pas, dit Valthex en s'échauf-
fant. Je veux. Je réclame celle qui est à moi.
Celle dont je fus l'amant... et que tu m'as
volée. »

Il n'acheva pas, tellement l'expression de Raoul
devenait terrible. Sa main ébaucha un geste du
côté de sa poche à revolver.

Ils se défièrent du regard, rivaux acharnés.
Et soudain Raoul, sautant sur place, lui jeta
dans les jambes, à hauteur de la cheville, deux
coups de semelle puis l'agrippa aux bras, de
ses mains implacables.

L'autre fléchit de douleur, n'eut pas la force
de résister et fut renversé sous le choc.

« Raoul ! Raoul ! cria la jeune femme, en se
précipitant vers lui... Non, je t'en prie... ne vous
battez pas... »

La fureur de Raoul était telle qu'il rouait
l'ennemi de coups, inutilement, sans autre raison que de le châtier. Les explications, les menaces de Valthex, rien ne comptait plus pour

lui. Il tenait un homme qui lui disputait Clara,
qui avait été son amant, s'en vantait, et se
réclamait encore du passé. Et ce passé, il semblait à Raoul que des coups de poing et des
coups de pied l'anéantissaient.

« Non, non, Raoul, je t'en supplie, gémis-
sait Clara; non, laisse-le. Qu'il s'en aille, ne le
livre pas à la justice. Je t'en supplie... à cause
de mon père... Non... Qu'il s'en aille. »

Raoul ripostait, tout en frappant :

« Ne t'inquiète pas, Clara. Il ne dira rien
contre le marquis. Toute cette histoire, est-ce
vrai, d'abord ? Et puis quand même, il ne parlera pas... ce n'est pas son intérêt.

— Si, implorait la jeune femme en sanglo-
tant.. si... il se vengera.

— Qu'importe ! C'est une bête méchante...
Il faut s'en délivrer... sinon, un jour ou l'autre,
c'est à toi qu'il s'en prendra... »

Elle ne cédait pas. Elle l'empêchait de frapper. Elle parlait de Jean d'Erlemont, qu'on
n'avait pas le droit d'exposer à une délation.

A la fin, Raoul lâcha prise. Sa colère faiblis-
sait.

Il dit :

« C'est bien. Qu'il s'en aille ! Tu entends,
Valthex, fiche le camp. Mais si jamais tu t'avi-
ses de toucher à Clara ou au marquis, tu es
perdu. Allons, déguerpis. »

Valthex resta quelques secondes sans bouger. Raoul l'avait-il donc maltraité au point qu'il lui fallait reprendre son aplomb ? Il s'appuya sur son coude, retomba, fit un nouvel effort qui le porta jusqu'auprès du fauteuil, essaya de se mettre debout, parut perdre l'équilibre et s'abattit à genoux. Mais tout cela n'était qu'une feinte. En réalité, il n'avait d'autre but que de se rapprocher du guéridon. Brusquement, il plongea sa main dans le tiroir, saisit le revolver dont on apercevait la crosse et, poussant un cri rauque, se retourna vers Raoul et leva le bras.

Si imprévu, si rapide que fût le geste, il n'eut pas le temps de l'exécuter. Quelqu'un en devança l'effet, Clara, qui, se jetant entre les deux hommes, tira de son corsage un couteau qu'elle planta en plein dans la poitrine de Valthex, sans qu'il songeât à parer le coup et sans que Raoul pût intervenir.

Valthex parut d'abord n'avoir rien senti et n'éprouva aucune douleur. Son visage, cependant, jaune d'ordinaire, blêmit jusqu'à devenir tout blanc. Puis son grand corps se détira, immense, démesuré. Et d'un bloc, il s'effondra, le buste et les bras allongés sur le divan, avec un soupir profond que suivirent quelques hoquets. Et le silence, l'immobilité.

Clara, son couteau ensanglanté à la main,

avait contemplé, avec des yeux hagards, cette sorte de déracinement et de chute. Quand Valthex tomba, Raoul dut la soutenir, et elle bégayait, épouvantée, anéantie :

« J'ai tué... J'ai tué... Tu ne vas plus m'aimer... Ah ! quelle horreur ! »

Il murmura :

« Mais si, je t'aimerai... je t'aime... Mais pourquoi as-tu frappé ?

— Il allait tirer sur toi... le revolver...

— Mais, ma petite... il n'était pas chargé... et je le laissais là... justement, pour le tenter et qu'il ne se servît pas du sien... »

Il assit la jeune femme sur le fauteuil, la tournant de façon qu'elle n'aperçût pas le corps de Valthex. Puis il s'inclina vers celui-ci, l'examina, écouta le cœur, et dit entre ses dents :

« Il bat encore... mais c'est l'agonie. »

Et, ne pensant plus qu'à elle, à cette femme qu'il fallait sauver et emmener à tout prix, il dit vivement :

« Va-t'en, ma chérie... Tu ne peux pas rester... On va venir... »

Un sursaut d'énergie la secoua :

« M'en aller ?... Te laisser seul ?

— Pense donc !... Si l'on te trouve ici ?

— Eh bien, et toi ?

— Je ne peux pas abandonner cet homme... »

Il hésitait. Il savait que Valthex était perdu, mais il ne pouvait pas se décider au départ, et il était troublé, indécis.

Elle fut inflexible :

« Je ne partirai pas... C'est moi qui ai frappé... C'est moi qui dois rester et être arrêtée... »

Cette idée le bouleversa :

« Jamais ! Jamais ! Toi, arrêtée ? Je n'y consens pas... je ne veux pas... Cet homme était un misérable. Tant pis pour lui !... Allons-nous-en... Je n'ai pas le droit de te laisser ici... »

Il courut vers la fenêtre, souleva le rideau, et recula :

« Gorgeret !

— Quoi ? dit-elle affolée. Gorgeret ?... Il vient ?

— Non... il surveille la maison, avec deux de ses hommes... Impossible de fuir. »

Il y eut dans la pièce quelques secondes d'égarement. Raoul avait jeté un tapis de table sur le corps de Valthex. Clara allait et venait, sans plus savoir ce qu'elle faisait, ni ce qu'elle disait. Sous sa couverture, le moribond avait des soubresauts.

« Nous sommes perdus... nous sommes perdus..., chuchota la jeune femme.

— Qu'est-ce que tu chantes ? » protesta Raoul, que ces instants d'émotion excessive rendaient vite au calme et à la maîtrise de soi-même.

Il réfléchit, consulta sa montre, puis empoigna le téléphone de la ville et, d'une voix
âpre :

« Allô ! allô ! Vous ne m'entendez donc pas,
mademoiselle ? Mais il ne s'agit pas d'un numéro ! Allô ! Donnez-moi la surveillante... Allô !
La surveillante ? Ah ! c'est toi, Caroline ? Quelle
chance ! Bonjour, chérie... Voilà... Sonne ici,
sans discontinuer durant cinq minutes... Il y a
un blessé dans la pièce... Alors, il faut que la
concierge entende le téléphone et monte. C'est
convenu, hein ? Mais non, Caroline, ne t'inquiète pas... Tout va très bien... C'est un petit
incident de rien du tout. Adieu ! »

Il raccrocha l'appareil. La sonnerie commença. Alors, il saisit la main de sa maîtresse et
lui dit :

« Viens, dans deux minutes la concierge sera
ici, et fera le nécessaire. Sans doute ira-t-elle
chercher en face Gorgeret, qu'elle doit connaître sûrement. Viens. Nous allons fuir par en
haut. »

Sa voix était si paisible, son étreinte si impérieuse qu'elle ne songea pas à protester.

Il recueillit le couteau, essuya l'appareil de
téléphone pour qu'on ne pût relever les em-
preintes de ses doigts, découvrit le corps de Valthex, cassa le mécanisme de l'écran lumineux et
ils s'en allèrent, laissant la porte grande ouverte.

La sonnerie retentissait, stridente et opiniâtre, tandis qu'ils montaient jusqu'au troisième étage, c'est-à-dire à l'étage habité par les domestiques, au-dessus de l'appartement de Jean d'Erlemont.

Raoul se mit aussitôt en devoir de fracturer la porte, ce qui fut facile, la serrure n'étant pas fermée à clef, ni le verrou poussé.

Au moment où ils entraient, et avant qu'ils n'eussent repoussé le battant, un grand cri s'éleva dans la cage de l'escalier. C'était la concierge que l'alarme donnée par la sonnerie avait attirée, et qui, par les portes ouvertes de l'entresol, apercevait le désordre du salon, et, sur le divan, étendu, pantelant, le corps de Valthex.

« Tout est pour le mieux, dit Raoul, qui revenait à ses habitudes d'ironie tranquille. C'est à la concierge d'agir. Elle est responsable. Nous, nous sommes en dehors de la question. »

Le troisième étage était composé de chambres pour les domestiques, vides par conséquent à cette heure de la journée, et de mansardes où il y avait des malles ou de vieux meubles hors d'usage. Des cadenas fermaient celles-ci. Raoul tordit l'un d'eux. La mansarde était éclairée par une lucarne, à laquelle il accéda aisément.

Clara, muette, le visage tragique, obéissait machinalement à tout ce qu'il ordonnait. Deux ou trois fois, elle répéta :

« J'ai tué... j'ai tué... Tu ne m'aimeras plus... »

Et l'on voyait que ce meurtre et que l'influence de ce meurtre sur l'amour de Raoul constituaient son unique pensée, et qu'elle n'était même pas effleurée par le souci de sa sécurité, par la poursuite possible du policier Gorgeret, et par ce qu'il allait advenir de leur fuite sur les toits.

« Nous y voilà, dit Raoul, qui, lui, au contaire, ne se préoccupait — chaque chose à son temps — que de porter au maximum les chances de réussir son entreprise. Comme tout s'arrange à notre avantage ! Le cinquième étage de la maison voisine est à la même hauteur que le toit de la nôtre. Tu avoueras... »

Comme elle n'avouait rien du tout, il changea de sujet pour appuyer son contentement.

« C'est comme à l'égard de ce forban de Valthex, il a été assez maladroit pour justifier, pour nécessiter notre riposte. Donc, cas de légitime défense, s'il en fut jamais. Il nous attaquait... notre devoir était de prévenir son mauvais coup. Notre situation est excellente. »

Si excellente que fût la situation, il fallait se mettre à l'abri, et Raoul y pourvoyait avec ardeur et conscience. Il traversa et fit traverser à sa compagne une petite courette qui donnait sur une pièce vide. La chance se confirmait : l'appartement dans lequel ils abordèrent n'était

pas habité. Quelques meubles seulement y traî-
naient, et ce qui peut rester d'un déménage-
ment encore inachevé. Un couloir les conduisit
à la porte d'entrée, qui leur livra passage com-
plaisamment. Un escalier... Ils descendirent un
étage. Puis, encore un étage. Quand ils furent
arrivés sur le palier de l'entresol, Raoul dit à
voix basse :

« Concertons-nous. Dans toute maison de
Paris, il y a des concierges. Je ne sais pas si
ceux d'ici nous verront passer. En tout cas, il est
préférable de ne pas sortir ensemble. Va-t'en
la première. Tu te trouveras dans une rue per-
pendiculaire au quai. Tu suivras ta gauche,
donc le dos tourné à la Seine. Dans la troisième
rue à droite, il y a, au numéro 5, un petit hôtel
qui a pour nom l'hôtel du Faubourg et du Japon. Tu entreras dans le salon d'attente. Je te
rejoins dans deux minutes. »

Il lui entoura le cou, la renversa un peu et
l'embrassa.

« Allons, ma petite, du courage... et n'aie pas
cet air désolé. Pense que tu m'as sauvé la vie.
Mais oui, tu m'as sauvé la vie. Le revolver
était parfaitement chargé. »

Il débita ce mensonge avec désinvolture. Mais
rien ne pouvait faire que Clara échappât à son
obsession. Elle s'éloigna, la tête inclinée, l'aspect misérable.

Et, se penchant, il la vit sortir à gauche.

Il compta jusqu'à cent. Et puis encore jusqu'à cent, pour plus de précaution. Puis il s'en alla, le chapeau enfoncé sur la tête, un lorgnon sur les yeux.

Il remonta une rue, étroite et fréquentée, jusqu'à ce qu'il parvînt à la troisième. Sur le côté gauche de celle-ci, une enseigne annonçait l'hôtel du Faubourg et du Japon, maison d'apparence modeste, mais dont le salon, vitré par en haut, était meublé avec beaucoup de goût.

Il ne vit pas Clara. D'ailleurs, il n'y avait personne.

Raoul, très inquiet, retourna dehors, inspecta la rue, se hâta vers l'immeuble par lequel ils s'étaient évadés, revint jusqu'à l'hôtel.

Personne.

Il murmura :

« C'est inconcevable !... Je vais attendre... Je vais attendre... »

Il attendit une demi-heure... une heure... avec des incursions rapides dans les rues avoisinantes.

Personne.

A la fin, il partit, sous l'impulsion d'une idée nouvelle : Clara devait s'être réfugiée au pavillon d'Auteuil. Dans sa détresse, elle n'avait pas bien compris le lieu du rendez-vous ou l'avait oublié, et elle se morfondait là-bas.

Il sauta dans un taxi, dont il prit lui-même le volant, selon son habitude en cas d'urgence.

Dans le jardin, il rencontra le domestique, puis, dans l'escalier, Courville.

« Clara ?

— Mais elle n'est pas là. »

Ce fut pour lui un accablement. Où aller ? Que faire ? L'inanité de toute action s'ajoutait à son tourment. Et surtout une pensée effroyable grandissait en lui, d'une telle logique que, plus il l'examinait, plus elle lui semblait l'aboutissement certain des transes par où avait passé la pauvre Clara. Meurtrière, persuadée que son acte la rendait pour son amant un objet d'horreur, pouvait-on douter qu'elle échappât à l'obsession du suicide ? N'était-ce pas pour cela qu'elle s'était enfuie ? Toute sa conduite ne prouvait-elle pas qu'elle ne voulait plus, qu'elle n'osait plus le revoir ?

Il l'imaginait errant dans la nuit. Elle marchait le long de la Seine. L'eau noire, luisante de clartés éparses, l'attirait. Elle y entrait peu à peu. Elle s'y jetait.

Toute cette nuit fut affreuse pour Raoul. Quel que fût son habituel contrôle sur lui-même, il ne pouvait se soustraire à certaines suppositions qui, avec la complicité des ténèbres, prenaient figure de certitudes. Il était bourrelé de remords, remords de n'avoir pas flairé le

piège de Valthex, remords d'avoir joué la diffi-
culté, remords d'avoir quitté la malheureuse
Clara.

Il ne s'endormit qu'au matin. A huit heures,
il bondit hors de son lit, comme si quelque
chose l'appelait à l'action. Quoi ?

Il sonna.

« Du nouveau ? demanda-t-il... Madame ?

— Pas de nouvelles, répondit le domestique.

— Est-ce possible ?

— M. Courville peut renseigner Monsieur. »
Courville entra.

« Alors... pas rentrée ?

— Non.

— Aucune nouvelle ?

— Aucune.

— Tu mens !... tu mens ! s'écria-t-il en em-
poignant le secrétaire. Tu mens !... Oui, tu as
l'air embarrassé. Qu'est-ce qu'il y a ? Mais parle
donc, imbécile. Crois-tu que j'aie peur de la
vérité ? »

Courville tira un journal de sa poche. Raoul
le déplia et, tout de suite, lâcha un juron.

On lisait, au haut d'une colonne de première
page, en gros caractères :

  « *Assassinat du grand Paul. Son ancienne
maîtresse, Clara la Blonde, est arrêtée sur le
lieu du forfait par l'inspecteur principal Gor-*

geret. La police est convaincue qu'elle est l'auteur du crime, avec son nouvel amant, le sieur Raoul, qui déjà l'avait enlevée lors de l'inauguration du Casino Bleu. Son complice a disparu. »

XVI

ZOZOTTE

CETTE fois, le hasard avait favorisé l'inspecteur
principal Gorgeret. Absent de la Préfecture, lorsque le pneumatique écrit par le grand Paul y
était arrivé, il avait fait son stage quotidien sur
le quai Voltaire à l'heure où il était établi que
la fameuse blonde s'y rendait parfois. Et c'est
de là qu'il avait répondu aux appels que lui
lançait la concierge par la fenêtre de l'entresol.

L'irruption de Gorgeret dans l'entresol de
Raoul se produisit avec la violence d'une trombe.
Néanmoins, il s'arrêta court. Ce n'est point
que le spectacle du grand Paul agonisant le
suffoquât. Mais il apercevait ce diable de fauteuil, tourné vers les deux fenêtres, et grâce
auquel Raoul lui avait joué un de ses méchants
tours.

« Halte ! » commanda-t-il aux deux hommes
qui l'accompagnaient.

Et lentement, avec précaution, le revolver au poing, il approcha du fauteuil. Au moindre geste de l'ennemi, il tirait.

Les hommes de Gorgeret l'observaient avec stupéfaction. Constatant son erreur, il leur dit, satisfait de lui-même et fier de ses procédés :

« C'est justement quand on ne néglige aucune précaution qu'il ne se produit rien. »

Et, débarrassé d'un rude souci, il s'occupa du moribond, et à son tour l'examina :

« Le cœur bat encore... mais il n'en vaut guère mieux... Un médecin, tout de suite... Il y en a un dans la maison voisine. »

Par téléphone il annonça au quai des Orfèvres l'assassinat et l'agonie du grand Paul, et demanda des instructions, en ajoutant que le blessé ne lui semblait pas transportable. En tout cas, une voiture d'ambulance était nécessaire. Il fit également prévenir le commissaire de police et commença d'interroger la concierge. C'est alors que les réponses de cette femme et les signalements donnés par elle lui imposèrent la conviction que Clara la Blonde et son amant Raoul étaient les auteurs de l'assassinat.

Cela le jeta dans une agitation extraordinaire. Lorsque le médecin se présenta, il lança des phrases pêle-mêle.

« Trop tard... Il est mort... Tout de même, essayez... Le grand Paul vivant, ce serait pour la justice, pour moi... d'une importance capitale... Pour vous aussi, docteur. »

Mais un événement se produisit qui porta au comble son désarroi. Son principal agent, Flamant, accourut, haletant :

« Clara ! Je la tiens...

— Hein ? Qu'est-ce que tu dis ?

— Clara la Blonde ! Je l'ai cueillie.

— Nom de D... !

— Je l'ai cueillie sur le quai, rôdant.

— Où est-elle ?

— Enfermée dans la loge de la concierge... »

Gorgeret dégringola l'escalier, empoigna la jeune femme, remonta quatre à quatre, la traînant et la bousculant, et la poussa avec brutalité devant le divan où expirait le grand Paul.

« Tiens, gourgandine, voilà ta sale besogne... »

La jeune femme reculait avec horreur. Il la contraignit à s'agenouiller, et il ordonnait :

« Qu'on la fouille ! Le couteau doit être sur elle... Ah ! cette fois, tu y es, ma petite, et ton complice aussi, hein ? Le beau Raoul... Ah ! vous croyez qu'on tue comme ça, et que la police est faite pour les chiens !... »

On ne trouva pas le couteau, ce qui l'irrita davantage. La malheureuse, terrifiée, se débattait contre lui. A la fin, elle eut une crise de nerfs et s'évanouit. Gorgeret, qui agissait toujours sous l'impulsion de la rancune et de la

colère, fut implacable. Il l'enleva dans ses bras
en disant :

« Reste, Flamant. L'ambulance doit être là...
Je te la renvoie dans dix minutes... Ah ! vous
voici, monsieur le commissaire, dit-il à un nouvel arrivant... Je suis l'inspecteur Gorgeret...
Mon collaborateur va vous mettre au courant.
Il s'agit de pincer le sieur Raoul, complice et
instigateur du crime. Moi, j'emmène la meurtrière. »

La voiture d'ambulance était là, en effet.
Trois autres inspecteurs débarquaient d'un
taxi; il les expédia à Flamant, puis, étendant
Clara sur les coussins, la conduisit aux services
de la police judiciaire. Clara, toujours sans connaissance, fut installée dans une petite pièce
que meublaient deux chaises et un lit de sangle.

En cette fin de journée, Gorgeret perdit bien
deux heures à attendre le moment de faire subir
à Clara un interrogatoire serré dont il se réjouissait à l'avance. Après un dîner sommaire, il
voulut commencer. L'infirmière que l'on avait
mise de garde ne se prêta pas à son désir, la
jeune femme n'étant point en état de répondre.

Il retourna au quai Voltaire et n'y apprit
rien. Jean d'Erlemont, dont on ignorait l'adresse,
devait arriver le surlendemain dans la ma-
tinée.

Enfin, sur le coup de neuf heures du soir, il

put s'approcher du lit où reposait Clara. Espoir
déçu. Elle refusa de parler. Il eut beau la ques-
tionner, insister, raconter le drame comme il
avait dû se passer, accumuler les charges, faire
le procès de Raoul, affirmer qu'on était sur le
point de se saisir de lui, rien ne put la tirer de
son silence. Elle ne pleurait même pas. Elle
gardait un visage clos qui ne trahissait aucune
de ses émotions.

Et le lendemain matin, et tout l'après-midi,
il en fut de même. Elle ne dit pas un seul mot.
Le Parquet désigna un juge d'instruction, lequel
remit au jour suivant son premier interrogatoire.
Avertie de ce retard, elle répondit à Gorgeret —
et ce fut sa première réponse — qu'elle était
innocente, qu'elle ne connaissait pas le grand
Paul, qu'elle ne comprenait rien à cette affaire
et qu'elle serait libre avant sa comparution devant le juge.

Cela signifiait-il qu'elle comptait sur le secours
tout-puissant de Raoul ? Gorgeret éprouva une
vive inquiétude et doubla la surveillance. Deux
agents resteraient de faction, tandis que, lui-
même, il irait dîner chez lui. A dix heures il
serait de retour et procéderait à une dernière
tentative de pression à laquelle Clara, exténuée
comme elle l'était, n'aurait pas la force de résister.

L'inspecteur principal Gorgeret occupait dans

un vieil immeuble du faubourg Saint-Antoine trois pièces gentiment arrangées où l'on sentait la main d'une femme de goût. Gorgeret était, en effet, marié depuis dix ans.

Mariage d'amour qui aurait pu mal tourner, Gorgeret étant affligé d'un caractère insupportable, si Mme Gorgeret, une rousse appétissante et gracieuse, n'avait pas pris sur son mari une autorité absolue. Excellente ménagère, mais frivole, coquette avec les hommes, aimant le plaisir, peu soucieuse, disait-on, de l'honneur de M. Gorgeret, elle fréquentait les dancings de son quartier, sans admettre que son mari risquât à ce sujet l'ombre d'une observation. Sur le reste, il pouvait crier : elle savait répondre.

Ce soir-là, lorsqu'il revint en hâte pour dîner, l'épouse n'était pas rentrée. Fait assez rare et qui, chaque fois, provoquait d'âpres discussions. Gorgeret n'admettait pas l'inexactitude.

Furieux, mâchonnant d'avance la scène qu'il ferait et les reproches dont il l'accablerait, l'inspecteur se planta sur le seuil de la porte ouverte.

A neuf heures, personne. L'inspecteur, qui bouillonnait, questionna la petite bonne et apprit que madame avait mis « sa robe de dancing ».

« Alors, elle est au dancing ?

— Oui. Rue Saint-Antoine. »

Pantelant de jalousie, il patienta. Etait-il admissible que Mme Gorgeret ne fût pas rentrée, alors qu'on ne dansait plus depuis la fin de l'après-midi ?

A neuf heures et demie, surexcité par la perspective de l'interrogatoire, il prit la résolution subite de se rendre à la salle de la rue Saint-Antoine. On n'y dansait pas encore au moment où il arriva. Les tables étaient occupées par des gens qui consommaient. Le gérant, questionné par lui, se rappela fort bien avoir vu la jolie Mme Gorgeret en compagnie de plusieurs hommes, et s'offrit même à montrer la table où, en dernier lieu, avant son départ, elle avait bu un cocktail.

« Tenez... justement avec ce monsieur qui s'y trouve... »

Gorgeret dirigea son regard dans la direction indiquée et se sentit défaillir. Le dos de ce monsieur, sa silhouette, il les connaissait. A n'en point douter, il les connaissait.

Il fut sur le point d'aller querir des agents. C'était l'unique solution à une telle bravade, et la seule que pût lui dicter sa conscience. Cependant quelque chose en lui l'emporta sur le sentiment du devoir et retint l'élan qui le poussait vers les procédés de force auxquels un bon policier comme Gorgeret doit recourir à l'égard des malfaiteurs et des assassins. Ce fut l'envie irrésistible de savoir ce qu'il était advenu de Mme Gorgeret. Et résolument, rageusement,

mais avec quelle mine de chien fouetté ! il vint
prendre place auprès de l'individu.

Là, il attendit, employant toute son énergie
à ne pas le saisir à la gorge et à ne pas lui
lancer des injures. A la fin, comme Raoul ne
bronchait pas, Gorgeret gronda :

« Salaud !

— Goujat !

— Salaud de salaud ! continua Gorgeret.

— Goujat de goujat ! » riposta Raoul.

Un long silence, qu'interrompit le préposé
aux consommations.

« Deux cafés-crème », commanda Raoul.

Les deux cafés furent servis à ces messieurs.
Raoul choqua gentiment sa tasse contre celle
de son voisin, puis but à petits coups.

Gorgeret, malgré tout son effort sur lui-même,
ne pensait qu'à sauter au collet de Raoul, ou à
lui mettre sous le nez le canon de son revolver,
actes qui faisaient partie de sa profession, auxquels il ne répugnait nullement, et que néanmoins il lui fut matériellement impossible d'accomplir.

En présence de l'odieux Raoul, il se sentait
paralysé. Il se souvenait de leurs rencontres dans
les ruines du château, dans le hall de la gare
de Lyon, ou dans les coulisses du Casino Bleu,
et tout cela l'enfonçait en une sorte d'anéantissement où il ne trouvait pas plus d'audace pour

l'attaque que s'il eût porté une camisole de
force.

Raoul lui dit, d'un ton de confiance amicale :
« Elle a très bien dîné... des fruits surtout...
elle adore les fruits.

— Qui ? demanda Gorgeret, convaincu d'abord
qu'il s'agissait de Clara.

— Qui ? je ne sais pas son petit nom.

— Le nom de qui ?

— De Mme Gorgeret. »

Gorgeret parut la proie d'un vertige, et murmura d'une voix haletante :

« Alors, c'est bien toi, crapule ?... C'est toi
l'auteur de cette infamie... l'enlèvement de
Zozotte !

— Zozotte ?... quel nom délicieux ! le petit
nom que tu lui donnes dans l'intimité, hein ?
Zozotte... ça lui va comme un gant... Ah ! les
jolies visions qu'évoque ce nom ! la Zozotte de
Gorgeret ! la gorgerette de Zozotte ! C'est qu'elle
a l'air tout à fait au point, Zozotte !

— Où est-elle ? balbutia Gorgeret les yeux
exorbités. Comment as-tu pu l'enlever, salaud ?

— Je ne l'ai pas enlevée, répondit calmement Raoul. Je lui ai offert un cocktail, puis
un second, puis nous avons dansé un tango
voluptueux. Un peu étourdie, elle a accepté de
faire un tour au bois de Vincennes, dans mon
auto... puis de venir prendre un troisième

cocktail dans la petite garçonnière d'un de mes amis, un endroit respectable, à l'abri des indiscrétions... »

Gorgeret suffoquait :

« Et alors ?... et alors, que s'est-il passé ?

— Comment ? Mais rien du tout. Que diable veux-tu qu'il se soit passé ? Zozotte est sacrée pour moi. Toucher à l'épouse de mon vieux Gorgeret ! soulever la gorgerette de Zozotte ! jeter sur elle un regard de convoitise ! Jamais ! »

Une fois encore, Gorgeret se rendit compte des situations redoutables où le mettait son ennemi. L'empoigner et le livrer à la justice, c'était inévitablement, pour Gorgeret, sombrer dans le ridicule. Sans compter que rien ne prouvait qu'après l'arrestation de Raoul on parviendrait à retrouver Zozotte ! Serré contre lui, le visage tourné vers le visage exécré, Gorgeret prononça :

« A quoi veux-tu en venir ? Car tu as un but...

— Parbleu !

— Lequel ?

— Quand dois-tu revoir Clara la Blonde ?

— Dans un instant.

— Pour l'interroger encore ?

— Oui.

— Renonces-y.

— Pourquoi ?

— Parce que je sais comment ça s'opère, ces

abominables interrogatoires policiers. C'est de
la barbarie, un reste des tortures d'autrefois.
Le juge d'instruction seul devrait avoir le droit
d'interroger. Toi, laisse-la tranquille.

— C'est tout ce que tu veux ?
— Non.
— Quoi encore ?
— Les journaux prétendent que le grand
Paul va mieux. Est-ce vrai ?
— Oui.
— Tu espères qu'on le sauvera ?
— Oui.
— Clara le sait-elle ?
— Non.
— Elle le croit mort ?
— Oui.
— Pourquoi lui caches-tu la vérité ? »
Le regard de Gorgeret fut mauvais.

« Parce que c'est là évidemment que doit
être le point sensible pour elle, et que je suis
sûr de la faire parler tant qu'elle croira à cette
mort.

— Gredin ! » chuchota Raoul.
Et il ordonna aussitôt :

« Retourne voir Clara, mais ne l'interroge
pas. Dis-lui simplement ceci : « Le grand Paul
« n'est pas mort. On le sauvera. » Pas un mot de
plus.

— Et après ?

— Après ? tu me rejoins ici et tu me jures sur la tête de ta femme que tu as fait la communication. Une heure plus tard, Zozotte réintègre le domicile conjugal.

— Et si je refuse ? »

Syllabe par syllabe, Raoul laissa tomber cette petite phrase :

« Si tu refuses, je vais rejoindre Zozotte... »

Gorgeret comprit et serra les poings d'un geste de fureur. Ayant réfléchi, il dit gravement :

« C'est raide ce que tu me demandes. Mon devoir est de ne rien négliger pour atteindre la vérité, et si j'épargne Clara, c'est une trahison.

— A toi de choisir. Clara... ou Zozotte.

— La question ne se pose pas ainsi...

— La question se pose ainsi pour moi.

— Mais...

— C'est à prendre ou à laisser. »

Gorgeret insista :

« Pourquoi exiger cette communication ? »

Raoul eut le tort de répondre, et avec quelle émotion frémissante :

« J'ai peur de son désespoir. Sait-on jamais ! Pour elle, l'idée d'avoir tué...

— Tu l'aimes donc vraiment ?

— Parbleu ! sans quoi... »

Il s'arrêta. Une lueur avait passé dans les yeux de Gorgeret, qui conclut :

« Soit. Reste ici. Dans vingt minutes, je suis de retour, je te rends compte, et toi...

— Et moi je relâche Zozotte.

— Tu me le jures ?

— Je te le jure. »

Gorgeret se leva et appela :

« Garçon, combien les deux cafés-crème ? »

Il paya et s'éloigna vivement.

XVII

L'ANGOISSE

Toute la journée qui s'était écoulée entre le moment où Raoul avait appris l'arrestation de Clara la Blonde et le moment où Gorgeret le retrouvait dans le dancing du quartier Saint-Antoine, avait été pour lui une suite d'heures infiniment douloureuses.

Agir, il fallait agir sans retard. Mais dans quel sens ? Il ne dérageait pas, sinon pour s'abandonner à des crises d'accablement tout à fait contraires à sa nature, mais que provoquait en lui cette peur du suicide qui l'avait obsédé dès la première minute.

Redoutant que les complices du grand Paul, et surtout le gros chauffeur, ne signalassent à la police son domicile d'Auteuil, il établit son quartier général chez un ami qui habitait l'île Saint-Louis et qui tenait toujours à sa disposition la moitié de son appartement. De là, Raoul se trouvait à proximité de la Préfecture où il avait forcément des affidés et des complices. C'est ainsi qu'il connut la présence de Clara dans les bureaux de la police judiciaire.

Mais que pouvait-il espérer ? L'enlever ? L'entreprise, à peu près impossible, exigeait en tout cas une longue préparation. Cependant, vers midi, Courville, qui avait mission d'acheter et de dépouiller les journaux — et quel zèle il montrait, Raoul l'accusant d'avoir, par sa légèreté, conduit l'ennemi jusqu'au pavillon d'Auteuil ! — Courville apporta *La Feuille du jour* qui donnait, en dernière heure, cette nouvelle :

« *Contrairement à ce qu'on annonçait ce matin, le grand Paul n'est pas mort ! Quelle que soit la gravité de son cas, il n'est pas impossible, étant donné la vigueur de sa constitution, qu'il survive à sa terrible blessure...* »

Aussitôt Raoul s'écria :

« Mais c'est cela qu'il faudrait apprendre à Clara ! Tout d'abord, la tranquilliser sur le point qui est certainement pour elle la pire catastrophe et la cause de son déséquilibre. Au besoin inventer les nouvelles les plus favorables... »

A trois heures de l'après-midi, Raoul eut un rendez-vous clandestin avec un commis des bureaux de la police judiciaire qu'il connaissait depuis longtemps, et dont il sut activer l'obligeance. Celui-ci consentit à transmettre un billet par l'intermédiaire d'une employée à qui son service permettait d'approcher la captive.

D'autre part, il obtenait sur Gorgeret et sur son ménage les indications nécessaires.

A six heures, n'ayant plus entendu parler de son émissaire à la police judiciaire, il entrait dans le dancing du quartier Saint-Antoine, et, aussitôt, identifiait, d'après le signalement qu'on lui avait donné, la séduisante Mme Gorgeret, à qui il faisait la cour, sans se nommer bien entendu.

Une heure plus tard, accueilli avec bonne grâce, il emprisonnait la trop confiante Zozotte chez son ami de l'île Saint-Louis. Et à neuf heures et demie, Gorgeret, attiré dans le piège, le rejoignait au dancing Saint-Antoine.

Donc, à ce moment, tout semblait réussir au gré de Raoul. Et, pourtant, de cet entretien avec Gorgeret, il conservait une impression pénible. Sa victoire du début se résolvait, somme toute, en un dénouement qui se déroulait en dehors de lui et de son contrôle. Il avait tenu Gorgeret entre ses mains et l'avait laissé partir, se fiant à lui, et sans pouvoir vérifier ce que l'inspecteur ferait ou ne ferait pas. Car enfin, comment s'assurer que Clara serait avertie ? La parole de Gorgeret ? Mais si Gorgeret estimait que cette parole lui avait été extorquée, et que l'acte qu'on lui proposait était contraire à son devoir professionnel ?

Raoul discernait fort bien le travail d'esprit qui avait contraint Georgeret à s'asseoir près de lui et à se prêter aux discussions humiliantes d'un marchandage. Mais comment douter que, une fois dehors, l'inspecteur ne se ressaisît et n'obéît à des considérations toutes différentes ? Le devoir d'un policier, c'est d'arrêter le coupable. Gorgeret, qui n'en avait pas eu les moyens sur l'heure, ne s'arrangerait-il pas pour se les procurer en cet espace de vingt minutes ?

« Mais c'est évident, pensa Raoul, il est en quête de renfort. Ah ! gredin, tu passeras une sale nuit ! Garçon, de quoi écrire. »

Sans plus d'hésitation, il écrivit sur le papier qu'on lui apporta :

Tout compte fait, je rejoins Zozotte.

Sur l'enveloppe : *Inspecteur Gorgeret.*

Il remit l'enveloppe au patron. Puis il retrouva son automobile, garée à cent mètres de là, et surveilla l'entrée du dancing.

Raoul ne se trompait pas. A l'heure dite, Gorgeret apparut, disposa ses hommes de manière à investir le dancing, et entra, escorté de Flamant.

« Partie nulle, avoua Raoul, qui se mit en route. Tout au plus, ai-je gagné qu'à cette heure tardive il ne peut plus tourmenter Clara. »

Il fit un détour par l'île Saint-Louis, où il apprit que Zozotte, après avoir tempêté et gémi assez longtemps, s'était résignée au silence et devait dormir.

De la Préfecture, aucune nouvelle sur les tentatives faites pour communiquer avec Clara.

« A tout hasard, dit-il à son ami, gardons Zozotte jusqu'à demain midi, ne fût-ce que pour embêter Gorgeret. Je viendrai la chercher et l'on fermera les rideaux de l'auto afin qu'elle ne puisse voir d'où elle sort. Cette nuit, si tu as le moindre renseignement à me donner, télé-phone-moi à Auteuil. J'y retourne, j'ai besoin de réfléchir. »

Tous ses complices étant en campagne, Cour-ville et les domestiques habitant le garage, il n'y avait personne au pavillon. Il s'installa sur un fauteuil de sa chambre et dormit une heure, ce qui lui suffisait pour se reposer et retrouver un cerveau lucide.

Un cauchemar le réveilla, où il apercevait de nouveau Clara longeant la Seine et se penchant au-dessus de l'eau attirante.

Il frappa du pied, se dressant et marchant d'un bout à l'autre de la chambre.

« Assez ! assez ! Il ne s'agit pas de flan-cher, mais de voir clair. Voyons, quoi ! où en

sommes-nous ? Avec Gorgeret, partie nulle évidemment. J'ai marché trop vite en l'occurrence,
et le coup n'était pas bien préparé. On fait toujours des bêtises quand on aime trop et qu'on
se laisse aller à sa passion. Ne pensons plus à
tout cela. Du calme. Etablissons un plan de
conduite. »

Mais les mots et les phrases ne l'apaisaient
point, si logiques et si réconfortants qu'ils, fussent. Parbleu ! il savait bien qu'il machinerait
la délivrance de Clara, et qu'un jour ou l'autre
sa maîtresse retrouverait sa place auprès de lui
sans avoir payé trop cher son geste imprudent.
Mais qu'importait l'avenir ? C'est la menace
du présent qu'il fallait conjurer.

Or, cette menace, elle était suspendue à
chaque minute de cette affreuse nuit qui ne
finirait qu'à l'instant même où le juge pren-
drait l'affaire en main. Pour Clara, cet instant,
ce serait le salut puisqu'elle apprendrait que
le grand Paul était vivant. Mais, jusque-là,
aurait-elle la force ?...

Et l'implacable obsession le martyrisait. Tous
ses efforts n'avaient eu d'autre but que de la
prévenir, soit par l'intermédiaire de l'employée,
soit par celui de Gorgeret. Ayant échoué, ne
pouvait-il prévoir ce délire où l'on perd la raison et où l'on se casse la tête contre un mur ?
Clara supporterait tout, la prison, la lutte contre

la justice, la condamnation... mais cela, l'idée
qu'un homme était mort de sa main ?...

Il se rappelait son sursaut de terreur en face
de cet homme qui chancelait et qui s'écroulait :
« J'ai tué ! J'ai tué !... tu ne m'aimeras plus. »

Et il se disait que la fuite de la malheureuse
n'avait pas été autre chose que la fuite vers la
mort et le désir éperdu de l'anéantissement. Or,
la capture et l'emprisonnement, cela ne répon-
dait-il pas au fait même qu'elle avait commis
un crime et qu'elle comptait parmi ces êtres
maudits qui ont tué ?

L'idée torturait Raoul. A mesure que la nuit
avançait, il s'enfonçait dans la certitude into-
lérable que la chose allait s'accomplir et qu'elle
était même accomplie. Il se représentait les
modes de suicide les plus imprévus et les plus
atroces, et, chaque fois, après avoir vu le drame,
après avoir entendu les plaintes et les cris, il
recommençait à s'infliger, sous une autre forme,
le même supplice d'imaginer, de voir et d'entendre.

Par la suite, lorsque la simple et naturelle
réalité lui fut connue, et que l'énigme, dans
son ensemble, lui apparut avec son exacte
solution, Raoul devait rester confondu de n'avoir
pas deviné. Vraiment, la vision de ce qui était
aurait dû, pensait-il, s'inscrire devant ses yeux
comme une image de ce que la vie offre chaque

jour de plus ordinaire et de plus coutumier.
Avec les éléments de vérité humaine, et en
quelque sorte perceptibles et palpables qu'il
possédait, dès le premier jour il eût été logique
qu'il aperçût le fait lui-même avant que les
circonstances l'obligeassent à comprendre. Il y a
ainsi des moments où les problèmes se posent
de telle façon qu'on ne peut se dérober devant
la lumière qui les illumine de toutes parts.

Mais, à l'approche même de ce moment, il
se crut au plus fort des ténèbres. Sa souffrance
lui cachait toute perspective et le maintenait
dans un présent où il n'y avait pas la moindre
lueur d'espoir. Si habitué qu'il fût à réagir
par lui-même et à reprendre pied lorsqu'il touchait le fond du gouffre, il ne s'efforçait plus
que d'ajouter les unes aux autres les innom-
brables et les interminables minutes.

Deux heures... Deux heures et demie...

Raoul surveillait par la fenêtre ouverte les
premières blancheurs de l'aube qui luiraient
au-dessus des arbres. Il se disait puérilement
que, si Clara n'était pas morte, elle n'aurait
pas le courage de se tuer en plein jour. Le
suicide est un acte de l'ombre et du silence.

Trois heures, à l'horloge d'une église proche.

Il regarda sa montre et suivit sur le cadran
la marche du temps.

Trois heures cinq... Trois heures dix...

Et soudain il tressauta.

On avait sonné à la grille de l'avenue. Un ami ? quelqu'un qui lui apportait des nouvelles ?

En temps normal, la nuit, il se fût informé avant de presser le bouton qui ouvrait. Pourtant il ouvrit, de sa chambre.

Dans l'obscurité, il ne put discerner qui entrait, qui traversait le jardin. On monta l'escalier, à pas lents qu'il entendait à peine.

Saisi d'angoisse, il n'osa pas marcher jusqu'au seuil et se hâter vers l'événement inconnu, où il y avait peut-être un redoublement de malheur.

La porte fut poussée, d'une main qui n'avait pas de force.

Clara...

XVIII

LES DEUX SOURIRES S'EXPLIQUENT

La vie de Raoul — la vie d'Arsène Lupin —
est sûrement l'une de celles où se sont accumu-
lés le plus de surprises, d'incidents dramatiques
ou comiques, de chocs inexplicables, de coups
de théâtre opposés à toute réalité et à toute
logique. Mais peut-être — et c'est l'aveu qu'en
fit plus tard Arsène Lupin — peut-être l'apparition inopinée de Clara la Blonde lui causa-t-elle
la stupeur la plus profonde de son existence.

Cette apparition de Clara, livide, épuisée de
fatigue, tragique, les yeux brillants de fièvre,
la robe salie et fripée, son col déchiré, c'était
là un événement impossible. Qu'elle fût vivante,
oui, mais libre, non, mille fois non ! La police
ne relâche pas sa proie sans raison, surtout
quand elle tient une coupable certaine, prise
pour ainsi dire en flagrant délit, et, d'autre part,
il n'y a pas d'exemple qu'une femme se soit éva-
dée de la Préfecture, surtout une femme gardée,

comme l'était celle-ci, par les soins de Gorgeret. Alors ?

Ils se regardaient tous deux sans prononcer un mot, lui confondu et distrait, le cerveau tout entier tendu vers une vérité inaccessible — elle, misérable, honteuse, humble, ayant l'air de dire : « Veux-tu de moi ? acceptes-tu près de toi celle qui a tué ?... Dois-je me jeter dans tes bras ?... ou m'enfuir ?... »

A la fin, toute tremblante d'angoisse, elle chuchota :

« Je n'ai pas eu le courage de mourir... Je le voulais... plusieurs fois je me suis penchée au-dessus de l'eau... je n'ai pas eu le courage... »

Il la considérait, éperdu, sans bouger, l'écoutant à peine, et cherchant, cherchant... Le problème se posait dans toute sa rigueur, dans toute sa nudité : Clara se trouvait en face de lui, et Clara se trouvait dans une cellule de la Préfecture. En dehors de ces deux termes inconciliables, il n'y avait rien, absolument rien. Raoul devait s'enfermer dans ce cercle étroit et ne pas essayer d'en sortir.

Un homme comme Arsène Lupin ne peut pas rester, au-delà d'une certaine limite, en face d'une vérité qui s'offre. Si elle s'était dérobée jusqu'ici, précisément à cause de son extrême simplicité, il fallait bien en finir avec elle.

L'aube éclairait le ciel au-dessus des arbres et

se mêlait dans la pièce à la lueur électrique. Le
visage de Clara en fut illuminé. Elle redit :

« Je n'ai pas eu le courage de mourir... J'aurais dû, n'est-ce pas ? Tu m'aurais pardonné...
Je n'ai pas eu le courage... »

Longtemps encore il contempla cette vision de
détresse et d'agonie, et, tout en l'observant, il
avait une expression moins distraite et plus
sereine, presque souriante à la longue. Et tout
à coup, sans que rien annonçât ce dénouement
insolite, il éclata de rire. Et ce ne fut pas un
rire bref, un rire contenu, aussitôt dominé par
le pathétique de la minute présente, mais un
de ces rires qui vous courbent en deux et dont
on dirait qu'ils ne finiront jamais.

Et cette gaieté intempestive s'accompagna d'ailleurs d'une petite danse qui en souligna le
caractère spontané et bon enfant. L'accès de
gaieté signifiait :

« Si je ris, c'est qu'il n'y a pas moyen de ne
pas rire quand le destin vous met dans une
situation pareille. »

Clara, en son effondrement de condamnée à
mort, sembla si abasourdie par l'inconvenance
de cet éclat, qu'il se précipita sur elle, la souleva dans ses bras, la fit tourbillonner avec lui,
ainsi qu'un mannequin, l'embrassa passionnément, la serra contre sa poitrine, et en fin de
compte l'étendit sur le lit en disant :

« Maintenant, pleure, ma petite, et, quand tu auras pleuré et que tu admettras que tu n'as aucune raison de te tuer, nous causerons. »

Mais elle se redressa d'un bond et, le prenant aux épaules :

« Alors, tu me pardonnes ? tu m'excuses ?

— Je n'ai rien à te pardonner, et tu n'as pas d'excuses à faire.

— Si. J'ai tué.

— Tu n'as pas tué.

— Qu'est-ce que tu dis ? fit-elle.

— On n'a tué que s'il y a eu mort.

— Il y a eu mort.

— Non.

— Oh ! Raoul, que prétends-tu ? Je n'ai pas frappé Valthex ?

— Tu as frappé Valthex. Mais les bougres de cette sorte ont la vie dure. Tu n'as donc pas lu les journaux ?

— Non. Je ne voulais pas... J'avais peur de voir mon nom...

— Ton nom y est en toutes lettres. Mais cela ne signifie pas que Valthex soit mort.

— Est-ce possible ?

— Ce soir même, mon ami Gorgeret m'a déclaré que Valthex était sauvé. »

Elle relâcha son étreinte et s'abandonna seulement alors à la crise de larmes qu'il avait prévue et par où tout son désespoir se répandait.

Elle était couchée sur le lit et sanglotait comme une enfant, avec des gémissements et des plaintes.

Raoul la laissait pleurer et demeurait pensif, débrouillant peu à peu l'écheveau entremêlé de l'énigme sur laquelle la lumière s'était faite brusquement dans son cerveau. Mais que de points restaient encore obscurs !

Il marcha longuement. Une fois de plus il évoquait la première vision de la petite provinciale qui se trompait d'étage et entrait chez lui. Quel charme dans ces traits d'enfant ! Quelle candeur dans l'expression et dans la forme de cette bouche un peu entrouverte ! Et qu'elle était loin, cette petite provinciale, fraîche et ingénue, de celle qu'il voyait près de lui, se débattant sous les coups d'une destinée cruelle ! L'image de l'une et l'image de l'autre, au lieu de se confondre jusqu'à n'en plus faire qu'une, se détachaient maintenant l'une de l'autre. Les deux sourires se dissociaient. Il y avait le sourire de la petite provinciale et le sourire de Clara la Blonde. Pauvre Clara ! Plus attirante, certes, et plus désirable, mais si étrangère à toute idée de pureté !

Raoul reprit sa place sur le bord du lit et lui caressa le front tendrement.

« Tu n'es pas trop lasse ? Cela ne te fatiguera pas de me répondre ?

— Non.

— Une question d'abord, qui résume toutes les autres. Tu savais, n'est-ce pas, ce que je viens de discerner ?

— Oui.

— Alors, Clara, si tu savais, pourquoi ne me l'as-tu pas dit ? Pourquoi tant d'habileté, tant de détours pour me laisser dans l'erreur ?

— Parce que je t'aimais.

— Parce que tu m'aimais », répéta-t-il comme s'il n'apercevait pas le sens de cette affirmation.

Devinant sa douleur profonde, et pour l'adoucir, il plaisanta :

« C'est très compliqué, tout cela, ma chère petite fille. Si quelqu'un t'écoutait parler, il te croirait un peu... un peu...

— Un peu folle ? dit-elle. Tu sais bien que je ne le suis pas et que tout ce que je dis est vrai. Avoue-le... avoue-le... »

Il haussa les épaules et lui ordonna gentiment :

« Raconte, ma chérie. Quand tu auras raconté ton histoire en la prenant du début, tu verras combien tu as été injuste en te défiant de moi. Toutes les misères actuelles, tout le drame où nous nous débattons, viennent de ton silence. »

Elle obéit, d'une voix basse, après avoir essuyé avec le drap les dernières larmes qui s'obstinaient à couler.

« Je ne mentirai pas, Raoul. Je n'essaierai pas

de te montrer mon enfance autrement qu'elle
n'a été... celle d'une petite fille qui n'était pas
heureuse. Ma mère, qui s'appelait Armande
Morin, ma mère m'aimait bien... seulement il
y avait la vie... la sorte de vie qu'elle menait,
et qui ne lui permettait pas de s'occuper beaucoup de moi. Nous habitions à Paris un appartement toujours plein d'allées et venues... Il y
avait un monsieur qui commandait... qui arrivait avec beaucoup de cadeaux... et des provisions
et des bouteilles de champagne... un monsieur
qui n'était pas toujours le même, et, parmi ces
messieurs qui se succédaient, il y en avait d'ai-
mables avec moi, ou de désagréables... et ainsi
je venais au salon... ou bien je restais à l'office
avec les domestiques... Et puis nous avons démé-
nagé plusieurs fois, et c'était pour habiter des
logements plus petits, jusqu'au jour où ce fut
une chambre. »

Elle fit une pause, et reprit, plus bas :

« Cette pauvre maman était malade. Elle avait
vieilli d'un coup. Je la soignais... Je faisais le
ménage... Je lisais aussi les livres de l'école où
je ne pouvais plus aller. Elle me regardait tris-
tement travailler. Un jour qu'elle délirait à moitié, elle me dit ces paroles dont je n'ai pas oublié
une seule :

« — Il faudra que tu saches tout sur ta nais-
« sance, Clara, et que tu saches le nom de

« ton père... J'étais à Paris, toute jeune, très
« sérieuse à cette époque, et je travaillais comme
« couturière en journée dans une famille où j'ai
« connu un homme qui s'est fait aimer de moi
« et qui m'a séduite. J'ai été très malheureuse,
« parce qu'il avait d'autres maîtresses... Cet
« homme m'a quittée, quelques mois avant ta
« naissance, et il m'a envoyé de l'argent pendant
« une année ou deux... Et puis, il est parti en
« voyage... Je n'ai jamais cherché à le revoir,
« et il n'a plus jamais entendu parler de moi.
« Il était marquis... très riche... je te dirai son
« nom... »

« Le même jour, ma pauvre maman, dans
une sorte de rêve, me raconta encore, à propos
de mon père :

« — Il a eu comme maîtresse, un peu avant
« moi, une demoiselle qui donnait des leçons
« en province et j'ai appris par hasard qu'il
« l'avait abandonnée avant de savoir qu'elle était
« enceinte. Dans une excursion de Deauville à
« Lisieux, j'ai rencontré, il y a quelques années,
« une petite fille de douze ans qui te ressemblait
« à s'y méprendre, Clara. Je me suis renseignée.
« Elle s'appelait Antonine, Antonine Gautier... »

« C'est tout ce que j'ai su de mon passé par
maman. Elle mourut avant de me dire le nom
de mon père. J'avais dix-sept ans. Dans ses papiers, je ne trouvai qu'un renseignement, la

photographie d'un grand bureau Louis XVI avec l'indication (de son écriture) d'un tiroir secret et la façon d'ouvrir ce tiroir. A ce moment, je n'y fis guère attention. Comme je te l'ai dit, il m'a fallu travailler. Et puis j'ai dansé... Et j'ai connu Valthex il y a dix-huit mois. »

Clara s'interrompit. Elle semblait épuisée. Cependant elle voulut continuer.

« Valthex, qui n'était pas très expansif, ne faisait jamais allusion à ses affaires personnelles. C'est un jour, où je l'avais attendu sur le quai Voltaire, qu'il me parla du marquis d'Erlemont avec lequel il était en relations suivies. Il sortait de chez lui, et il avait beaucoup admiré de vieux meubles, en particulier un très beau bureau Louis XVI. Un marquis... un bureau... Un peu au hasard je l'interrogeai sur ce bureau. Mes soupçons se précisèrent, et j'eus vraiment l'impression qu'il s'agissait du meuble dont je possédais la photographie, et que le marquis pouvait bien être l'homme qui avait aimé ma mère. Tout ce qu'il me fut possible d'apprendre sur lui me confirma dans mes impressions.

« Mais, en réalité, je n'avais alors aucun projet, et j'obéissais plutôt à un sentiment de curiosité, au désir tout naturel de savoir. C'est ainsi qu'une fois, Valthex, m'ayant dit avec un sourire ambigu : « Tiens, tu vois, cette « clef... eh bien, c'est celle de l'appartement du

« marquis d'Erlemont... Il l'avait oubliée sur
« la serrure... il faudra que je la lui rende... »,
c'est ainsi que, presque à mon insu, je fis disparaître cette clef. Un mois plus tard, Valthex
était cerné par la police, je me sauvais, je me
cachais dans Paris.

— Pourquoi, dit Raoul, n'as-tu pas été, dès
ce moment, voir le marquis d'Erlemont ?

— Si j'avais été certaine qu'il était mon père,
j'aurais été lui demander secours. Mais, pour
en être certaine, il fallait d'abord pénétrer chez
lui, examiner le bureau, et fouiller dans le tiroir
secret. J'allais souvent rôder sur le quai. Je
voyais sortir le marquis, sans oser l'aborder; je
connaissais ses habitudes... je connaissais de vue
Courville, et toi-même, Raoul, et tous les domestiques... et j'avais la clef en poche. Mais je ne me
décidais pas. L'acte était si contraire à ma nature ! Et voilà qu'une fin d'après-midi, je fus
entraînée par les événements eux-mêmes, ces
événements qui devaient nous rapprocher l'un
de l'autre, au cours de la nuit suivante... »

Elle fit une dernière pause. Son récit touchait
au point le plus obscur de l'énigme.

« Il était quatre heures et demie. A l'affût
sur le quai, sur le trottoir opposé, vêtue de
manière à n'être pas reconnue, mes cheveux
cachés sous un voile, j'avais aperçu Valthex qui
sortait de chez le marquis évidemment, et qui

s'en allait, et je m'étais approchée de la maison,
lorsqu'un taxi s'arrêta. Il en descendit une jeune
femme qui portait une valise, une jeune fille
peut-être, blonde comme moi, ayant un peu
mon apparence, la forme de mon visage, la
couleur de mes cheveux, mon expression. Il y
avait vraiment une ressemblance, un air de
famille dont on ne pouvait pas ne pas être
frappé au premier aspect, et je me rappelai aussitôt la rencontre que ma mère avait faite, jadis,
sur la route de Lisieux. N'était-ce pas cette
même jeune fille que je voyais ce jour-là ? et
le fait qu'elle venait chez le marquis d'Erlemont, cette jeune fille qui me ressemblait comme
une sœur, ou plutôt comme une demi-sœur,
ne me prouvait-il pas que le marquis d'Erlemont
était mon père, lui aussi ? Le soir même, sans
trop d'hésitation et sachant que M. d'Erlemont
était sorti et n'était pas rentré, je suis montée,
et, reconnaissant le bureau Louis XVI, ouvrant
le tiroir secret, j'ai trouvé la photographie de
maman. J'étais fixée. »

Raoul objecta :

« Soit. Mais qu'est-ce qui t'a fixée sur le
nom d'Antonine ?

— Toi.

— Moi ?

— Oui... cinq minutes plus tard, quand tu
m'as appelée Antonine... Et c'est par toi que

j'ai su la visite qu'Antonine t'avait faite, la visite que tu croyais que j'avais faite, moi, puisque tu me confondais avec elle.

— Mais pourquoi ne m'as-tu pas averti de mon erreur, Clara ? Tout est là.

— Oui, tout est là, dit-elle. Mais réfléchis. Je m'introduis la nuit chez quelqu'un. Tu me surprends. N'est-ce pas naturel que je profite de ton erreur, et que je te laisse attribuer mon acte à une autre femme ? Je ne pensais pas te revoir.

— Mais tu m'as revu, et tu pouvais parler. Pourquoi ne m'as-tu pas dit que vous étiez deux, qu'il y avait Clara, et qu'il y avait Antonine ? »

Elle rougit.

« C'est vrai. Mais quand je t'ai revu, c'est-à-dire le soir du Casino Bleu, tu m'avais sauvé la vie, tu m'avais sauvée de Valthex et de la police, et je t'aimais...

— Cela ne devait pas t'empêcher de parler.

— Si, justement.

— Pourquoi ?

— J'étais jalouse.

— Jalouse ?

— Oui, tout de suite. Tout de suite j'ai senti que c'est par elle que tu avais été conquis, et non par moi, et que, malgré tout ce que j'ai pu faire, c'est encore à elle que tu pensais quand tu pensais à moi. La petite provinciale, disais-tu... C'est cette vision-là à laquelle tu t'es attaché, et tu la recherchais dans ma manière d'être et dans mon regard. La femme que je suis, un peu sauvage encore, ardente, d'humeur inégale, passionnée, ce n'était pas celle que tu aimais, mais l'autre, l'ingénue, et alors... alors je t'ai laissé confondre les deux femmes, celle que tu désirais et celle qui t'avait ravi dès la première minute. Tiens, Raoul, rappelle-toi, le soir où tu as pénétré dans la chambre d'Antonine au château de Volnic... tu n'as pas osé t'approcher de son lit. Instinctivement, tu as respecté la petite provinciale... tandis que, le surlendemain, après la soirée du Casino Bleu, instinctivement tu m'as prise dans tes bras. Et cependant, pour toi, Antonine et Clara, c'était la même femme. »

Il ne protesta pas. Il dit, pensivement :

« Comme c'est étrange, tout de même, que je vous aie confondues !

— Etrange ? mais non, dit-elle. En réalité, tu n'as vu Antonine qu'une fois, dans ton entresol, et, le soir même, tu me voyais, moi, Clara, dans des conditions si différentes ! Par la suite, tu ne l'as plus retrouvée, elle, qu'au château de Volnic, où tu ne l'as pas regardée. C'est tout. Dès lors, comment l'aurais-tu distinguée de moi, tandis que tu ne voyais que moi ? Je faisais tellement attention ! Je t'interrogeais tellement

sur toutes les circonstances de vos rencontres,
afin de pouvoir en parler comme si c'était moi
qui m'y trouvais, et qui avais prononcé telle parole, et qui savais telle chose ! Et je mettais tant
de soin à m'habiller comme elle l'était le jour
de son arrivée à Paris ! »

Il dit lentement :

« Oui... Il n'y a là rien que de très simple. »

Et il ajouta après une minute de réflexion,
où toute l'aventure se déroula devant lui :

« Tout le monde pouvait s'y tromper... Et
tiens, ce jour-là, Gorgeret lui-même, à la gare,
prenait Antonine pour Clara. Et, avant-hier
encore, il l'arrêtait, croyant que c'était toi. »

Clara tressaillit.

« Que dis-tu ? Antonine est arrêtée ?

— Tu ne le savais donc pas ? dit-il. Il est
vrai que, depuis avant-hier, tu vis dans l'igno-
rance de tout ce qui se passe. Eh bien, une demi-
heure après notre fuite, Antonine est arrivée
sur le quai, sans doute avec l'intention de monter dans l'appartement du marquis. Flamant l'a
vue et l'a remise à Gorgeret qui l'a conduite
à la police judiciaire, où il la persécute de ses
questions. N'est-ce pas elle qui est Clara pour
Gorgeret ? »

Clara se releva sur le lit, à genoux. Le peu de
couleurs qui était revenu à ses joues s'effaça.
Blême, frissonnante, elle balbutia :

« Arrêtée ? Arrêtée à ma place ? Elle est en prison, à ma place ?

— Et après ? dit-il gaiement... tu ne vas pas te rendre malade pour elle ? »

Debout, elle rajustait ses vêtements et remettait son chapeau, avec des gestes fébriles.

« Qu'est-ce que tu fais ? dit Raoul... où vas-tu ?

— Là-bas.

— Là-bas ?

— Oui, où elle est. Ce n'est pas elle qui a frappé, c'est moi... Ce n'est pas elle qui est Clara la Blonde, c'est moi. Alors, je la laisserais souffrir à ma place, être jugée à ma place ?...

— Etre condamnée à ta place ? monter sur l'échafaud à ta place ? »

Raoul était repris de son accès de gaieté. Tout en riant, il l'obligeait à défaire son chapeau et son vêtement, et lui disait :

« Ce que tu es amusante ! Ainsi tu t'imagines qu'on va la garder là-bas ? Mais, voyons, gourdiflote, elle pourra bien se défendre, expliquer la méprise, donner un alibi, se réclamer du marquis... Si bête que soit Gorgeret, il faudra pourtant qu'il ouvre les yeux.

— J'y vais, dit-elle, obstinée.

— Soit, allons-y. Je t'accompagne. Et puis, après tout, le geste ne manque pas d'élégance. « Monsieur Gorgeret, c'est nous. Nous venons

prendre la place de la jeune fille. » Et la réponse
de Gorgeret, tu l'entends ? « La jeune fille, on
l'a relâchée. Il y avait maldonne. Mais puisque
vous voilà tous deux, entrez donc, cher amis. »

Elle se laissa convaincre. Il l'étendit de nouveau, et la berça contre lui. A bout de forces,
elle s'abandonnait au sommeil. Cependant, elle
dit encore, dans un effort de réflexion :

« Pourquoi ne s'est-elle pas défendue, et n'a-
t-elle pas expliqué tout de suite ?... Il y a une
raison là-dessous... »

Elle s'endormit. Raoul s'assoupit également.
Et il songeait, une fois réveillé, tandis que les
bruits du dehors commençaient à renaître :

« Oui, pourquoi ne se défend-elle pas, cette
Antonine ? Il lui aurait été si facile de mettre
tout en lumière. Car elle doit comprendre maintenant qu'il y a une autre Antonine, une autre
femme qui lui ressemble, et que je suis le complice et l'amant de cette autre femme. Or,
il ne semble pas qu'elle ait protesté. Pourquoi ? »

Et il songeait avec émotion à la petite provinciale si douce, si attendrissante, et qui ne parlait
pas...

A huit heures, Raoul téléphona à son ami de
l'île Saint-Louis, lequel lui répondit :

« L'employée de la police est là. Elle pourra
communiquer dès ce matin avec la prisonnière.

— Parfait. Ecris un billet, de mon écriture, ainsi conçu :

« Mademoiselle, merci d'avoir gardé le silence.
« Sans doute Gorgeret vous a-t-il dit que j'étais
« arrêté et que le grand Paul était mort. Men-
« songes. Tout va bien. Maintenant, vous avez
« intérêt à parler et à conquérir votre liberté.
« Je vous supplie de ne pas oublier notre rendez-
« vous du 3 juillet. Hommages respectueux. »

Et Raoul ajouta :

« Tu as bien saisi ?

— Oui, très bien, affirma l'autre, ahuri.

— Congédie tous les camarades. L'affaire est réglée et je pars en voyage avec Clara. Reconduis Zozotte dans son quartier. Adieu. »

Il ferma le téléphone et appela Courville.

« Qu'on prépare la grosse auto, qu'on fasse les malles, et qu'on déménage tous les papiers. Le torchon brûle. Dès que la petite sera réveillée, tout le monde fiche le camp d'ici. »

XIX

GORGERET PERD LA TÊTE

La conversation de M. et Mme Gorgeret fut orageuse. Zozotte, ravie de trouver une occasion d'aiguiller la jalousie de son mari vers un personnage en quelque sorte imaginaire et fabuleux, fut assez cruelle pour attribuer à ce personnage toutes les qualités d'un gentleman raffiné, courtois, délicat dans ses procédés, plein d'esprit et de séduction.

« Le prince charmant, quoi ! grinça l'inspecteur principal.

— Mieux que ça, dit-elle, narquoise.

— Mais je te répète que ton prince charmant n'est autre que le sieur Raoul, l'assassin du grand Paul, et le complice de Clara la Blonde. Oui, c'est avec un assassin que tu as passé la nuit !

— Un assassin ? Mais, c'est très amusant ce que tu me dis là ! Je suis ravie.

— Coquine !

— Est-ce ma faute ? Il m'a enlevée !

— On n'enlève que qui veut bien être enlevée ! Pourquoi l'as-tu suivi dans son auto ? Pourquoi es-tu montée chez lui ? Pourquoi as-tu avalé des cocktails ? »

Elle avoua :

« Je n'en sais rien. Il a une façon d'imposer sa volonté. On ne peut pas lui résister.

— Voilà ! voilà ! tu ne lui as pas résisté... tu en fais l'aveu.

— Il ne m'a rien demandé du tout.

— Oui, n'est-ce pas ? Il s'est contenté de te baiser la main. Eh bien, je te jure Dieu que Clara va payer pour lui. Je vais lui secouer les puces, à celle-là, et sans douceur. »

Gorgeret partit dans un état d'exaspération qui le faisait gesticuler en pleine rue et parler à haute voix. Ce diabolique personnage le mettait hors de lui. Il était persuadé que l'honneur de sa femme avait subi des dommages sérieux, et que, en tout cas, la coupable aventure se poursuivrait. La meilleure preuve n'en était-elle pas que Zozotte prétendait n'avoir pu reconnaître le quartier où il demeurait ? Est-il admissible qu'on ne recueille aucune indication sur un itinéraire suivi deux fois ?

Son collaborateur Flamant l'attendait à la police judiciaire et lui apprit que le Parquet ne devait procéder au premier interrogatoire

que dans la journée, lorsque Gorgeret aurait
fourni de nouveaux éléments d'information.

« Parfait ! s'écria-t-il, l'ordre est catégorique,
hein ? Allons relancer la petite, Flamant. Il faut
qu'elle bavarde. Sans quoi... »

Mais l'ardeur combative de Gorgeret devait
fondre tout à coup en face du spectacle le plus
extraordinaire et le plus imprévu : une adversaire absolument transformée, aimable, souriante,
enjouée, docile au point qu'il se demanda si depuis l'avant-veille elle n'avait pas joué toute une
comédie de défaillance et de protestation. Elle
était assise sur une chaise, sa robe bien arrangée,
sa chevelure bien mise en valeur, et elle lui fit
l'accueil le plus cordial.

« Qu'y a-t-il pour votre service, monsieur
Gorgeret ? »

L'élan furieux qui avait amené Gorgeret l'eût
contraint à l'invective et à la menace au cas où
elle n'aurait pas répondu, mais la réplique de
l'adversaire le déconcerta.

« Monsieur l'inspecteur, je suis entièrement
à votre disposition. Etant donné que, dans quelques heures, je serai libre, je ne veux pas vous
faire de la peine plus longtemps. Tout d'abord... »

Une idée affreuse envahit Gorgeret. Il observa
profondément la jeune fille et lui dit d'une voix
basse et solennelle :

« Vous avez communiqué avec Raoul !... Vous

savez qu'il n'est pas arrêté !... Vous savez que le grand Paul n'est pas mort !... Raoul a promis de vous sauver !... »

Il était bouleversé et il mendiait pour ainsi dire une protestation. Elle ne la fit pas. Elle dit joyeusement :

« Peut-être... Ce n'est pas impossible... Cet homme est si prodigieux ! »

Gorgeret articula, rageur :

« Si prodigieux qu'il soit, ça n'empêche pas que je te tiens, Clara, et que tu es bien perdue. »

La jeune fille ne répondit pas aussitôt, mais elle le regarda avec beaucoup de dignité et prononça doucement :

« Monsieur l'inspecteur, je vous demande de ne pas me tutoyer et de ne pas profiter de ce que je suis en votre pouvoir. Il y a entre nous un malentendu qui ne doit pas se prolonger davantage. Je ne suis pas celle que vous appelez Clara. Je m'appelle Antonine.

— Antonine ou Clara, c'est kif-kif.

— Pour vous, monsieur l'inspecteur, mais pas en réalité.

— Alors, quoi, Clara n'existerait pas ?

— Si, elle existe, mais ce n'est pas moi. »

Gorgeret ne saisit pas la distinction. Il pouffa de rire.

« Voilà donc le nouveau système de défense !

Il ne vaut pas un clou, ma pauvre demoiselle.
Car enfin, il faut s'entendre. Est-ce vous, oui
ou non, que j'ai suivie de la gare Saint-Lazare
au quai Voltaire ?

— Oui.

— Est-ce vous que j'ai aperçue près de l'entresol du sieur Raoul ?

— Oui.

— Est-ce vous que j'ai surprise dans les
ruines de Volnic ?

— Oui.

— Et alors, nom de D..., est-ce vous qui êtes
en face de moi, à la minute présente ?

— C'est moi.

— Donc ?

— Donc, ce n'est pas Clara puisque je ne
suis pas Clara. »

Gorgeret eut le geste désespéré d'un acteur
de vaudeville qui s'empoigne la tête à deux
mains et qui s'écrie :

« Je ne comprends pas ! je ne comprends
pas ! »

Antonine sourit :

« Monsieur l'inspecteur, si vous ne comprenez pas, c'est que vous ne voulez pas envisager
le problème tel qu'il se pose. Depuis que je
suis ici, j'ai beaucoup réfléchi, moi, et j'ai compris. Et c'est pourquoi je me suis tue.

— Dans quelle intention ?

— Pour ne pas contrarier l'action de celui qui m'a sauvée de votre persécution inexplicable, deux fois le premier jour et une troisième fois à Volnic.

— Et une quatrième fois au Casino Bleu, hein, ma petite ?

— Ah ! cela, dit-elle en riant, c'est l'affaire de Clara, de même que le coup de couteau donné au grand Paul. »

Une lueur passa dans les yeux de Gorgeret. Lueur fugitive. Il n'était pas encore mûr pour la vérité, que la jeune fille d'ailleurs, par malice, ne lui exposait pas avec beaucoup de clarté.

Elle dit, plus gravement :

« Concluons, monsieur l'inspecteur. Depuis mon arrivée à Paris, j'habite l'hôtel-pension des Deux-Pigeons, à l'extrémité de l'avenue de Clichy. Au moment où le grand Paul a été frappé, c'est-à-dire exactement à six heures du soir, je causais encore avec la patronne de l'hôtel avant d'aller prendre le métro. J'invoque expressément le témoignage de cette personne, et aussi le témoignage du marquis d'Erlemont.

— Il est absent.

— Il rentre aujourd'hui. C'est ce que je venais annoncer à ses domestiques quand vous m'avez arrêtée une demi-heure après le crime. »

Gorgeret éprouvait une certaine gêne. Sans un mot il passa dans le cabinet du directeur de la police judiciaire, qu'il mit au courant de la situation.

« Téléphonez, Gorgeret, à l'hôtel des Deux-Pigeons. »

Il obéit. Le directeur et lui prirent chacun un récepteur, et Gorgeret demanda :

« L'hôtel des Deux-Pigeons ? Ici la Préfecture de police. Je voudrais savoir, madame, si vous avez parmi vos pensionnaires une demoiselle Antonine Gautier.

— Oui, monsieur.

— Arrivée, quand ?

— Une seconde. Je consulte le registre... Arrivée le vendredi 4 juin. »

Gorgeret dit à son chef :

« C'est bien la date. »

Il continua :

« Elle s'est absentée ?...

— Cinq jours. Elle est revenue le 10 juin. »

Gorgeret mumura :

« La date du Casino Bleu... Et le soir de son retour, madame, elle est sortie ?

— Non, monsieur. Mlle Antonine n'est pas sortie un seul soir depuis qu'elle est chez moi. Quelquefois avant le dîner... Le reste du temps, elle cousait dans mon bureau.

— Actuellement, elle est à l'hôtel ?

— Non, monsieur. Avant-hier, elle m'a quitté à six heures et quart pour aller prendre le métro.

Elle n'est pas rentrée et ne m'a pas prévenue, ce qui m'étonne beaucoup. »

Gorgeret raccrocha le téléphone. Il était assez déconfit.

Après un silence, le directeur lui dit :

« Je crains que vous n'ayez été un peu vite, Gorgeret. Courez donc jusqu'à cet hôtel, perquisitionnez dans la chambre. Moi, je vais convoquer le marquis d'Erlemont. »

Les recherches de Gorgeret n'amenèrent aucune découverte. Le très modeste trousseau de la jeune fille était marqué aux initiales A. G. Un extrait de son acte de naissance portait le nom d'Antonine Gautier, père inconnu, née à Lisieux.

« Nom de D... de nom de D... », maugréait l'inspecteur.

Gorgeret passa trois heures cruelles. Il ne put avaler le repas qu'il prit avec Flamant. Il était incapable d'exprimer une opinion raisonnable. Flamant le remontait avec commisération.

« Voyons, mon vieux, vous bafouillez. Si Clara n'a pas fait le coup, vous obstinez pas !

— Ainsi, triple idiot, tu admets que ce n'est pas elle qui a fait le coup ?

— Si, c'est elle.

— C'est elle qui dansait au Casino Bleu ?

— C'est elle.

— Alors, comment expliques-tu, *primo*, qu'elle

n'ait pas découché le soir du Casino Bleu; *secundo,* qu'elle se trouvait aux Deux-Pigeons tandis qu'on poignardait le grand Paul ?

— Je n'explique pas. Je constate.

— Tu constates quoi ?

— Que l'on ne peut rien expliquer. »

Pas un instant, ni Gorgeret, ni Flamant, ne songèrent à séparer Antonine de Clara.

A deux heures et demie, le marquis d'Erlemont se présenta et fut introduit dans le bureau du directeur, qui s'entretenait avec Gorgeret.

C'est en revenant du Tyrol suisse, la veille au soir, que Jean d'Erlemont avait appris par les journaux français le drame qui s'était déroulé dans son immeuble, l'accusation lancée par la police contre son locataire, M. Raoul, et l'arrestation d'une demoiselle Clara.

Il ajouta :

« Je croyais trouver à la gare une jeune fille, Antonine Gautier, qui est ma secrétaire depuis quelques semaines et qui était prévenue de l'heure exacte de mon arrivée. D'après ce qu'ont dit mes domestiques, j'ai cru comprendre qu'on mêlait cette personne à l'affaire. »

Ce fut le directeur qui répondit :

« Cette personne est, en effet, à la disposition de la justice.

— Donc, arrêtée ?

— Non, tout simplement à la disposition de la justice.

— Mais pourquoi ?

— D'après l'inspecteur principal Gorgeret, chargé de l'affaire du grand Paul, Antonine Gautier n'est autre que Clara la Blonde. »

Le marquis fut abasourdi.

« Hein ! s'écria-t-il avec indignation, Antonine serait Clara la Blonde ? Mais c'est fou ! Qu'est-ce que c'est que cette plaisanterie sinistre ? Je demande qu'on libère immédiatement Antonine Gautier avec toutes les excuses qu'on lui doit pour l'erreur dont elle est la victime, et dont une nature comme elle a dû souffrir infiniment. »

Le directeur observa Gorgeret. Celui-ci n'avait pas sourcillé. Sur le regard mécontent de son supérieur, il se redressa, s'approcha du marquis, et lui dit négligemment :

« Ainsi, monsieur, vous ne savez rien sur le drame en lui-même ?

— Rien.

— Vous ne connaissez pas le grand Paul ? »

Jean d'Erlemont pensa que Gorgeret n'avait pas encore établi l'identité du grand Paul, et il affirma :

« Non.

— Vous ne connaissez pas Clara la Blonde ?

— Je connais Antonine, et je ne connais pas Clara la Blonde.

— Et Antonine n'est pas Clara ? »

Le marquis haussa les épaules, et ne répondit pas.

« Un mot encore, monsieur le marquis. Durant le petit voyage que vous avez fait à Volnic avec Antonine Gautier, vous ne l'avez pas quittée ?

— Non.

— Par conséquent, comme j'ai rencontré Antonine Gautier au château de Volnic, vous y étiez ce jour-là ? »

D'Erlemont était pris au piège. Il ne put biaiser.

« J'y étais.

— Pouvez-vous me dire ce que vous y faisiez ? »

Le marquis eut un moment d'embarras. A la fin, il répliqua :

« J'y étais comme propriétaire.

— Quoi ! s'écria Gorgeret, comme propriétaire ?

— Certes. J'ai acheté le château il y a quinze ans. »

Gorgeret n'en revenait pas.

« Vous avez acheté le château ?... Mais personne ne l'a su !... Pourquoi cette acquisition ? Pourquoi ce silence ? »

Gorgeret pria son chef de vouloir bien l'écouter à part, et, le poussant vers la fenêtre, il lui dit tout bas :

« Tous ces gens-là sont de mèche pour nous fourrer dedans, chef. Il n'y avait pas que cette jolie blonde au château de Volnic, il y avait Raoul.

— Raoul !

— Oui, je les ai surpris ensemble. Donc, vous voyez, chef ?... Le marquis d'Erlemont... la fille blonde... et Raoul !... autant de complices. Mais il y a mieux.

— Quoi ?

— Le marquis fut jadis un des spectateurs du drame de Volnic, où la chanteuse Elisabeth Hornain fut assassinée et volée.

— Bigre ! Ça se corse. »

Gorgeret se pencha davantage.

« Il y a mieux encore, chef. J'ai fini par trouver hier le dernier logement que le grand Paul occupait à l'hôtel, et où il a laissé sa valise, et j'ai fait dans ses papiers deux découvertes de la plus grande importance dont j'attendais le résultat pour vous en parler. Tout d'abord, le marquis était l'amant d'Elisabeth Hornain, et il n'a rien dit à l'instruction. Pourquoi ? Ensuite, le vrai nom du grand Paul est Valthex. Or, Valthex était le neveu d'Elisabeth Hornain, et Valthex, je m'en suis informé, venait souvent rendre visite au marquis d'Erlemont. Qu'en dites-vous ? »

Le directeur semblait fort intéressé par ces révélations. Il dit à Gorgeret :

« L'affaire change d'aspect, et je crois que nous devons, nous, changer de tactique. Nous aurions tort de nous heurter de front au marquis. Pour l'instant, mettons hors de cause cette Antonine et faites sur l'ensemble de l'affaire et sur le rôle que le marquis a pu y jouer une enquête approfondie. N'est-ce pas votre avis, Gorgeret ?

— Entièrement, chef. Nous n'arriverons à Raoul que si nous commençons à céder d'abord du terrain. Du reste...

— Du reste ?

— J'aurai peut-être autre chose à vous annoncer. »

La libération fut immédiate. Gorgeret prévint d'Erlemont qu'il irait le voir d'ici cinq ou six jours pour solliciter de lui quelques renseignements, et le conduisit jusqu'à la chambre d'Antonine. En voyant son parrain, celle-ci se jeta dans ses bras en riant et en pleurant à la fois.

« Cabotine ! » ronchonna Gorgeret entre ses dents.

Ainsi, au milieu de cette journée, Gorgeret avait repris complètement possession de lui-même. A mesure que certains éléments de la vérité lui apparaissaient et qu'il en faisait part à son chef, il retrouvait un cerveau capable de raisonner selon sa méthode ordinaire.

Trêve qui ne dura point. Un nouvel incident démolit presque aussitôt l'édifice reconstruit. Soudain, il entra dans le bureau du directeur, sans même avoir frappé. Il semblait atteint de folie. Il agitait un petit calepin vert dont il essayait, en tremblant, de désigner du doigt certaines pages et il bégayait :

« Nous y sommes ! Quel coup de théâtre ! Comment aurait-on pu se douter !... Et cependant tout devient clair... »

Son supérieur essaya de le calmer. Il se contint tant bien que mal, et finit par dire :

« Je vous avais annoncé autre chose de possible... Voilà... J'ai trouvé ce calepin dans la valise du grand Paul... ou plutôt de Valthex... Des notes sans importance... des chiffres... des adresses... Et puis, de place en place, une phrase effacée à la gomme, et mal effacée, donc des phrases importantes celles-là... Je les ai données hier à déchiffrer au Service de l'Identité judiciaire... Or, parmi elles, il y en a une... qui n'a pas de prix... Celle-ci, tenez, que le service a transcrite en dessous... et, de fait, avec un peu d'attention, on se rend très bien compte... »

Le directeur saisit le carnet et lut l'annotation reproduite. Elle était ainsi conçue :

« *Adresse de Raoul, 27, avenue du Maroc, à Auteuil. Se défier d'un garage qui ouvre par-*

*derrière. Pour moi, Raoul n'est autre qu'Arsène
Lupin. A vérifier. »*

Gorgeret proféra :
« Pas de doute, chef ! C'est le mot de l'énigme !... c'est la clef du coffre ! Quand on a cette
clef-là, tout s'ouvre... tout s'éclaircit. Il n'y a
qu'Arsène Lupin pour monter une machine de
ces dimensions. Il n'y a que lui qui peut nous
tenir ainsi en échec et se foutre de nous. Raoul,
c'est Arsène Lupin.
— Et alors ?
— J'y cours, chef. Avec ce coco-là, pas une
minute à perdre. La petite est relâchée... Il
doit le savoir déjà... il va décamper. J'y cours !
— Prenez des hommes.
— Il m'en faut dix.
— Vingt, si vous voulez, fit le directeur qui
s'animait aussi. Au galop, Gorgeret...
— Oui, chef, bredouillait l'inspecteur en se
sauvant. L'attaque brusquée... Et du renfort,
hein ? L'alerte générale ! »... »

Il empoigna Flamant, cueillit quatre agents
au passage, et sauta dans une des autos qui
stationnaient le long de la cour.

Une autre auto partit derrière la sienne, char-
gée de six agents, et une troisième...

En vérité, ce fut une mobilisation effarée.
Toutes les cloches auraient dû sonner le tocsin,

tous les tambours rouler, tous les clairons faire l'appel, toutes les trompes et toutes les sirènes hurler le signal de l'assaut.

Dans les couloirs, dans les bureaux, d'un bout à l'autre de la Préfecture, on s'apostrophait : Raoul, c'est Arsène Lupin... Arsène Lupin, c'est Raoul.

Il était un peu plus de quatre heures.

De la Préfecture de police à l'avenue du Maroc, il faut, à toute vitesse, mais en tenant compte des encombrements, quinze bonnes minutes...

XX

AUSTERLITZ ? WATERLOO ?

A QUATRE heures exactement, couchée sur le lit de la chambre, à Auteuil, Clara dormait encore. Vers midi, réveillée par la faim, elle avait mangé tout en sommeillant, puis s'était rendormie.

Raoul s'impatientait. Non qu'il fût tourmenté, mais il n'aimait pas surseoir trop longtemps aux décisions prises, quand ces décisions correspondaient à un minimum de prudence et de sagesse. Or, il imaginait que le retour à la vie du grand Paul pouvait ajouter aux périls actuels, et que le témoignage du marquis et les déclarations d'Antonine devaient compliquer la situation.

Tout était prêt pour le départ. Il avait renvoyé les domestiques, aimant mieux être seul en cas de danger. Les valises étaient chargées sur l'auto.

A quatre heures dix, il se rappela tout à coup :

« Fichtre ! je ne puis pourtant pas m'en aller

sans dire adieu à Olga. Qu'est-ce qu'elle doit
déjà penser ? A-t-elle lu les journaux ? A-t-elle
fait un rapprochement entre moi et le sieur
Raoul ? Liquidons cette vieille histoire... »

Il demanda :

« Le Trocadéro-Palace, s'il vous plaît ?... Allô...
Ayez l'obligeance de me donner l'appartement
de Sa Majesté. »

Raoul, très pressé, eut le grand tort de ne pas
s'informer de qui répondait. Ne reconnaissant
ni la voix de la secrétaire, ni la voix de la masseuse, croyant que le roi de Borostyrie n'était
plus à Paris, il fut persuadé qu'il avait affaire
à la reine, et, de son ton le plus aimable, le
plus affectueux, il débita d'un trait :

« C'est toi, Olga ? Comment vas-tu, ma belle
aimée ? Hein, tu dois m'en vouloir, et me traiter de mufle ? Mais non, Olga, des occupations,
des soucis par-dessus la tête... Je t'entends mal,
chérie... ne prends pas cette grosse voix
d'homme... Voici... Je dois, hélas ! m'en aller
à brûle-pourpoint... Un voyage d'études sur les
côtes de la Suède. Quel contretemps ! Mais pourquoi ne réponds-tu pas à ton petit Raoul ? tu
es fâchée ? »

Le petit Raoul sursauta. A n'en point douter,
c'était une voix d'homme qui lui répondait, la
voix du roi qu'il avait eu déjà l'occasion d'entendre, et qui, furieux, roulant encore plus les *r*

que son épouse, grondait à l'autre bout du fil :

« Vous n'êtes qu'un grrredin, monsieur, et je vous méprrrise. »

Raoul eut une petite sueur dans le dos. Le roi de Borostyrie ! En outre, s'étant retourné, il constata que Clara était réveillée, et qu'elle n'avait rien dû perdre de la communication.

« A qui as-tu téléphoné ? dit-elle anxieusement. Qu'est-ce que c'est que cette Olga ? »

Il ne répondit pas aussitôt, interloqué par l'incident. Mais bah ! il n'ignorait point que le mari d'Olga n'en était pas à s'offusquer des frasques de son épouse. Une de plus, une de moins. Il n'y fallait plus penser.

« Qu'est-ce que c'est qu'Olga ? dit-il à Clara. Une vieille cousine toujours mal embouchée, et à qui je dois faire ma cour de temps à autre. Et tu vois le résultat !... Tu es prête ?

— Prête ?

— Oui. Nous filons. L'air de Paris est malsain. »

Comme elle demeurait songeuse, il insista :

« Je t'en supplie, Clara. Nous n'avons plus rien à faire ici. Un retard peut être dangereux. »

Elle l'observa :

« Tu es inquiet ?

— Je commence.

— De quoi es-tu inquiet ?

— De rien... De tout. »

Elle comprit que c'était sérieux et s'habilla rapidement. A cet instant, Courville, qui avait la clef du jardin et qui rentrait, apporta les journaux de l'après-midi sur lesquels Raoul jeta un coup d'œil.

« Tout va bien, dit-il. La blessure du grand Paul n'est décidément pas mortelle, mais il est hors d'état de répondre avant une semaine... L'Arabe s'obstine toujours dans son mutisme.

— Et Antonine ? demanda Clara.

— Libérée, affirma froidement Raoul.

— On l'annonce ?

— Oui. Les explications du marquis ont été décisives. Elle a été libérée. »

Son assurance était telle que Clara fut convaincue.

Courville prit congé d'eux.

« Plus de papiers compromettants ici ? lui dit Raoul. Nous ne laissons rien ?

— Absolument rien, monsieur.

— Fais une dernière inspection et file, mon vieux. N'oublie pas que vous vous retrouvez tous, chaque jour, à notre nouveau centre de l'île Saint-Louis. D'ailleurs, je te revois tout à l'heure, près de l'auto. »

Clara cependant achevait de s'arranger, pressée par Raoul. Quand elle eut mis son chapeau, elle lui saisit les mains.

« Qu'est-ce que tu as ? dit-il.

— Jure-moi que cette Olga ?...

— Comment ! tu y penses encore ? s'écria Raoul en riant.

— Réfléchis...

— Mais puisque je t'assure que c'est une vieille tante à héritage !...

— Tu m'avais dit une vieille cousine.

— Elle est à la fois ma tante et ma cousine. Son beau-père et la sœur d'un de mes oncles s'étaient mariés en troisièmes noces. »

Elle sourit et lui posa la main sur la bouche :

« Ne mens pas, mon adoré. Au fond, cela m'est égal. Il n'y a qu'une personne dont je sois jalouse.

— Courville ? Je t'assure que mon amitié pour lui...

— Tais-toi... ne ris pas... supplia-t-elle. Tu comprends bien de qui je parle. »

Il la serra contre lui.

« Tu es jalouse de toi-même. Tu es jalouse de ton image.

— De mon image, tu as raison, de cette image de moi qui a une expression différente, des yeux plus doux...

— Tu as les yeux les plus doux qui soient, dit Raoul en l'embrassant avec passion, des yeux d'une tendresse...

— Des yeux qui ont trop pleuré.

— Des yeux qui n'ont pas assez ri. C'est ce qui te manque, le rire, et je te l'apprendrai.

— Un mot encore. Sais-tu pourquoi Antonine a laissé durer l'erreur depuis deux jours et n'a rien dit ?

— Non.

— Parce qu'elle avait peur de dire quelque chose qui pût se retourner contre toi.

— Et pourquoi cette peur ?

— Parce qu'elle t'aime. »

Il se mit à danser de joie.

« Ah ! comme c'est gentil de m'en faire part ! Tu crois vraiment qu'elle m'aime ? Que veux-tu, je suis irrésistible, moi ! Antonine m'aime. Olga m'aime. Zozotte m'aime. Courville m'aime. Gorgeret m'aime. »

Il la souleva dans ses bras et il l'entraînait vers l'escalier, quand il s'arrêta brusquement.

« Le téléphone ! »

La sonnerie, en effet, retentissait près d'eux. Raoul décrocha. C'était Courville... Courville essoufflé, haletant, qui bégaya :

« Gorgeret !... deux hommes avec lui... je les ai vus de loin, une fois sorti... Ils fracturaient la grille... Alors, je suis entré dans un café... »

Raoul ferma l'appareil et resta immobile, trois ou quatre secondes. Puis, d'un coup, il saisit Clara et la chargea sur son épaule.

« Gorgeret », dit-il simplement.

Avec son fardeau, il dégringola l'escalier.

Devant la porte du vestibule, il écouta. Des pas grinçaient sur le galet. A travers les vitres dépolies que protégeaient des barreaux, il aperçut plusieurs silhouettes. Il déposa Clara.

« Recule jusqu'à la salle à manger.

— Et le garage ? dit-elle.

— Non. Ils ont dû tout cerner. Sans quoi ils seraient plus de trois... Trois bonshommes, je n'en ferais qu'une bouchée. »

Il ne poussa même pas le verrou du vestibule. Il reculait pas à pas, tourné vers les agresseurs qui cherchaient à ébranler les battants.

« J'ai peur, dit Clara.

— Quand on a peur, on fait des bêtises. Rappelle-toi ton coup de couteau. Antonine n'a pas bronché, elle, en prison. »

Il reprit plus doucement :

« Si tu as peur, moi, au contraire, je m'amuse. Crois-tu donc qu'après t'avoir retrouvée je te laisserai pincer par cette brute-là ? Ris donc, Clara. Tu es au spectacle. Et il est comique. »

Les deux battants s'ouvrirent d'un coup. En trois bonds, Gorgeret sauta jusqu'au seuil de la salle, le revolver braqué.

Raoul s'était planté devant la jeune femme et la masquait.

« Haut les mains ! cria Gorgeret, ou je tire. »

Raoul, qui se tenait à cinq pas de lui environ, ricana :

« Ce que t'es pompier ! Toujours la même formule idiote. Penses-tu que tu vas tirer sur moi ! sur moi, Raoul !

— Sur toi, Lupin, clama Gorgeret, triomphant.

— Tiens, tu sais mon nom ?

— Tu avoues donc ?

— On avoue toujours ses titres de noblesse. »

Gorgeret répéta :

« Haut les mains ! crebleu, sinon je tire.

— Même sur Clara ?

— Même sur elle si elle était là. »

Raoul s'effaça.

« Elle est là, bouffi. »

Les yeux de Gorgeret s'écarquillèrent. Son bras retomba. Clara ! la petite blonde qu'il venait de rendre au marquis d'Erlemont ! Etait-il admissible ?... Non, tout de suite la chose lui parut hors de toute possibilité. Si vraiment c'était Clara — et c'était Clara, il n'en pouvait douter — il eût fallu en conclure que l'autre femme...

— Allons ! plaisantait Raoul... tu brûles... encore un petit effort... Ouf ! ça y est... Mais oui, cornichon, il y en a deux... l'une qui arrivait de son village et que tu as consacrée en tant que Clara, et l'autre...

— La maîtresse du grand Paul.

— Quel goujat ! riposta Raoul. Dirait-on que tu es le mari de l'adorable Zozotte ? »

Gorgeret, furieux, stimulant ses hommes, vociféra :

« Empoignez-moi ce gaillard-là. Et si tu remues, je t'abats, gredin ! »

Les deux hommes s'étaient élancés. Raoul sauta sur place. Chacun d'eux reçut un coup de pied au ventre. Ils reculèrent.

« Ça, c'est un tour de ma façon ! cria Raoul. Le truc de la double savate. »

Une détonation retentit, mais Gorgeret avait tiré de manière à n'atteindre personne.

Raoul s'esclaffa.

« Voilà qu'il esquinte ma corniche ! Quelle couche ! T'es trop bête aussi de te jeter dans l'aventure sans avoir pris tes précautions. Je devine ce qui s'est passé. On t'a communiqué mon adresse et tu as foncé comme un bœuf qui voit rouge. Il t'aurait fallu vingt petits camarades, mon pauvre vieux.

— Il y en aura cent ! il y en aura mille ! hurla Gorgeret, se retournant au bruit d'une auto qui s'arrêtait du côté de l'avenue.

— Tant mieux, dit Raoul, je commençais à m'embêter.

— Crapule, va, tu es bien fichu ! »

Gorgeret voulut sortir de la salle pour aller au-devant de ses renforts. Chose bizarre, la porte, dès le début, s'était refermée sur lui, et il s'évertua vainement contre la serrure.

« T'épuise pas, lui conseilla Raoul, la porte se ferme à clef toute seule. Et c'est du massif. Du bois de cercueil. »

Tout bas, il dit à Clara :

« Attention, chérie, et pige-moi le procédé. »

Il courut vers la partie qui restait, à droite, de l'ancien refend que l'on avait supprimé pour ne faire qu'une seule pièce.

Gorgeret, comprenant qu'il perdait son temps, et résolu à en finir par n'importe quel moyen, revenait à l'assaut en criant :

« Qu'on le tue ! il va nous échapper ! »

Raoul appuya sur un bouton, et, comme les agents apprêtaient leurs armes, un rideau de fer tomba du plafond, net, comme une masse, séparant la pièce en deux, tandis que les volets se rabattaient à l'intérieur.

« Couic ! ricana Raoul. La guillotine ! Gorgeret a le cou coupé. Adieu, Gorgeret. »

Il prit sur le buffet une carafe et remplit d'eau deux verres.

— Bois donc, chérie.

— Allons-nous-en, fuyons, dit-elle, éplorée.

— T'en fais pas, la môme Clara. »

Il insista pour qu'elle bût, et, lui-même, vida son verre. Il était très calme et ne se hâtait pas.

« Tu les entends, de l'autre côté ? Ils sont

en boîte, comme des sardines. Quand le rideau tombe, tous les volets se bloquent. Les fils électriques sont coupés. C'est la nuit noire. Une forteresse imprenable de l'extérieur, et, en dedans, une prison. Hein ! c'est combiné ? »

Elle n'avait pas du tout l'air disposée à l'enthousiasme. Il lui baisa la bouche, ce qui la ranima :

« Et maintenant, dit-il, la campagne, la liberté, et le repos qui est dû aux honnêtes gens qui ont bien travaillé. »

Il passa dans une petite pièce qui était l'office. Entre l'office et la cuisine, il y avait un espace, avec un placard qu'il ouvrit, et où débouchait l'escalier de la cave. Ils descendirent.

« Il faut que tu saches, pour ta gouverne, dit-il d'un ton doctrinal, qu'une maison bien comprise doit avoir trois sorties : l'une officielle; l'autre dérobée et apparente, pour la police; et la troisième dérobée et invisible, pour servir de retraite. Ainsi, tandis que la clique de Gorgeret surveille le garage, nous nous défilons par les entrailles de la terre. Est-ce assez combiné ? C'est un banquier qui m'a vendu ce pavillon. »

Ils cheminèrent durant trois minutes, puis remontèrent un escalier qui aboutissait dans une petite maison sans meubles, aux fenêtres closes, et donnant sur une rue fréquentée.

Une grosse automobile à conduite intérieure

stationnait, surveillée par Courville. Les valises
et les sacs s'y entassaient. Raoul donna ses dernières instructions à Courville.

L'auto démarra vivement.

Une heure après, Gorgeret, très penaud, faisait son rapport au directeur. Ils convinrent
que les communications à la presse ne parleraient
pas de Lupin et que, s'il y avait eu des indiscrétions, elles seraient démenties.

Le lendemain, Gorgeret revint, de nouveau
plein d'assurance, et annonça que la petite
blonde, non pas Clara, mais celle qu'on avait
arrêtée et relâchée, avait passé la nuit chez le
marquis et venait de partir avec lui, en auto.

Et, le jour suivant, il apprenait que les deux
voyageurs étaient arrivés à Volnic. D'après des
renseignements catégoriques, Jean d'Erlemont,
déjà propriétaire de ce château depuis quinze
ans, l'avait racheté lors de la deuxième vente,
par l'intermédiaire d'un étranger dont le signalement correspondait à celui de Raoul.

Toutes dispositions furent prises entre Gorgeret et le directeur.

XXI

RAOUL AGIT ET PARLE

« MAÎTRE AUDIGAT, conclut Antonine, tout ce que vous me dites là est très gentil, mais...

— Ne m'appelez pas maître Audigat, mademoiselle.

— Vous ne me demandez pourtant pas de vous appeler par votre petit nom ? dit-elle en riant.

— J'en serais heureux, fit-il avec onction, cela prouverait que vous exaucez mes vœux.

— Je ne peux les exaucer si vite, ni les repousser, cher monsieur. Voilà quatre jours que je suis revenue, et nous nous connaissons à peine.

— Quand estimez-vous, mademoiselle, que vous me connaîtrez assez pour me donner une réponse ?

— Quatre ans ? Trois ans ? Est-ce trop ? »

Il eut un geste navré. Il comprenait que jamais il n'obtiendrait la moindre promesse de cette belle demoiselle qui eût si bien atténué, pour lui, les rigueurs de l'existence de Volnic.

L'entretien était fini. Maître Audigat prit congé de la jeune fille, et, l'air digne et vexé, quitta le château.

Antonine resta seule. Elle fit le tour des ruines et se promena dans le parc et dans les bois. Elle marchait allégrement et son sourire habituel relevait les coins de sa bouche. Elle était vêtue d'une robe neuve, et parée de sa grande capeline de paille. De temps à autre, elle chantonnait. Puis elle cueillit des fleurs sauvages qu'elle rapporta au marquis d'Erlemont.

Il l'attendait sur le banc de pierre où ils aimaient s'asseoir, au bout de la terrasse, et il lui dit :

« Comme tu es jolie ! plus de traces de tes fatigues et de tes émotions, hein ? Et cependant rien ne t'a été épargné.

— Ne causons plus de cela, parrain. C'est une vieille histoire dont je ne me souviens plus.

— Alors, tu es tout à fait heureuse ?

— Tout à fait heureuse, parrain, puisque je suis avec vous... et dans ce château que j'aime.

— Un château qui ne nous appartient pas, et que nous quitterons demain.

— Qui vous appartient, et que nous ne quitterons pas. »

Il se moqua.

« Ainsi tu comptes toujours sur cet individu ?

— Plus que jamais.

— Eh bien, pas moi.

— Vous y comptez tellement, parrain, que voilà quatre fois que vous me dites n'y pas compter. »

D'Erlemont se croisa les bras.

« Alors, tu t'imagines comme ça qu'il viendra à un rendez-vous fixé vaguement il y a bientôt un mois, et après que tant d'événements se sont produits ?

— C'est aujourd'hui le 3 juillet. Il a confirmé ce rendez-vous dans le billet qu'il m'a fait passer à la Préfecture.

— Simple promesse.

— Toutes ses promesses, il les tient.

— Donc, à quatre heures ?

— A quatre heures il sera là, c'est-à-dire dans vingt minutes. »

D'Erlemont hocha la tête, et avoua gaiement :

« Au fond, veux-tu que je te dise ? Eh bien, moi aussi je l'espère. Quelle drôle de chose, la confiance ! Et la confiance en qui ? En une sorte d'aventurier qui s'occupe de mes affaires sans que je lui aie jamais rien demandé, et qui s'en occupe de la manière la plus insolite, en ameutant contre lui toute la police. Enfin, quoi, tu as lu les journaux ces jours-ci... Que disent-ils ? C'est que mon locataire, M. Raoul, l'amant de cette mystérieuse Clara qui te ressemble,

paraît-il, n'est autre qu'Arsène Lupin. La police
le nie. Mais la police qui longtemps a vu partout
Lupin ne veut plus, par crainte du ridicule, le
voir nulle part. Et voilà notre collaborateur ! »

Elle réfléchit et dit, plus gravement : ·

« Nous avons confiance dans l'homme qui
est venu ici, parrain. On ne peut pas ne pas avoir
confiance en celui-là.

— Evidemment... évidemment... c'est un rude
type, je l'avoue... et j'avoue qu'il m'a laissé un
tel souvenir que...

— Un tel souvenir que vous espérez bien le
revoir et connaître par lui la vérité qui vous
échappe... Qu'importe qu'il s'appelle Raoul ou
Arsène Lupin s'il comble tous nos vœux ! »

Elle s'était animée. Il la regarda avec surprise.
Elle avait des joues toutes roses et des yeux
brillants.

« Tu ne te fâcheras pas, Antonine ?

— Non, parrain.

— Eh bien, je me demande si maître Audigat n'aurait pas été mieux accueilli si les circonstances n'avaient pas amené le sieur Raoul... »

Il n'acheva point. Les joues roses d'Antonine
étaient devenues rouges, et ses yeux ne savaient
plus où se poser.

« Oh ! parrain ! dit-elle, en essayant de sourire, comme vous avez de mauvaises idées ! »

Il se leva. Un coup léger marqua les cinq

minutes d'avant quatre heures à l'église du village. Suivi d'Antonine, il longea la façade du
château et se posta à l'angle droit, d'où l'on apercevait la porte massive et cloutée de fer au bout
de la voûte basse creusée sous la tour d'entrée.

« C'est là qu'il sonnera », dit-il.

Et il ajouta en riant :

« As-tu lu *Monte-Cristo* ? et te rappelles-tu la
façon dont il est présenté dans le roman ? Quelques personnes, qui l'ont connu aux quatre coins
du monde, l'attendent pour déjeuner. Plusieurs
mois auparavant, il a promis qu'il serait là à
midi, et l'amphitryon affirme que, malgré les
incertitudes du voyage, il arrivera à l'heure
exacte. Midi sonne. Au dernier coup, le maître
d'hôtel annonce : « M. le comte de Monte-
Cristo. » Nous attendons avec la même foi et
la même anxiété. »

Le timbre retentit sous la voûte. La gardienne descendit les marches du perron.

« Serait-ce le comte de Monte-Cristo ? dit Jean
d'Erlemont. Il serait en avance, ce qui n'est pas
plus élégant que d'être en retard. »

La porte fut ouverte.

Ce n'était pas le visiteur prévu, mais un autre
dont l'apparition les confondit : Georgeret.

« Ah ! parrain, murmura Antonine toute défaillante... malgré tout, j'ai peur de cet homme...
Que vient-il faire ici ? J'ai peur.

— Pour qui ? dit Jean d'Erlemont, lequel semblait surpris aussi désagréablement. Pour toi ? pour moi ? Rien de tout cela ne nous concerne. »

Elle ne répondit pas. L'inspecteur, après avoir parlementé avec la gardienne, venait d'apercevoir le marquis et s'avançait aussitôt vers lui.

Il portait à la main, en guise de canne, un énorme gourdin à pommeau de fer. Il était gros, lourd, vulgaire, puissant d'encolure. Mais son âpre figure habituelle s'efforçait d'être aimable.

A l'église, les quatre coups tintèrent.

« Puis-je solliciter de vous, monsieur le marquis, dit-il d'un ton où il y avait exagération de déférence, la faveur d'un entretien ?

— A quel propos ? fit d'Erlemont sèchement.

— A propos de... notre affaire.

— Quelle affaire ? Tout a été dit là-dessus entre nous, et l'inqualifiable conduite que vous avez eue envers ma filleule ne me donne guère envie de continuer nos relations.

— Tout n'a pas été dit entre nous, objecta Gorgeret moins affable, et nos relations ne sont pas terminées. Je vous l'avais annoncé en présence du directeur de la Police judiciaire. J'aurais besoin de quelques renseignements. »

Le marquis d'Erlemont se tourna vers la gardienne qui se tenait trente mètres plus loin, sous la voûte, et lui cria :

« Vous fermerez la porte. Si l'on frappe, vous n'ouvrirez pas... A personne, n'est-ce pas ? D'ailleurs, donnez-moi la clef. »

Antonine lui serra la main, pour l'approuver. La porte close, c'était le choc impossible entre Gorgeret et Raoul, au cas où celui-ci se fût présenté.

La gardienne vint remettre la clef au marquis et s'en retourna. L'inspecteur sourit.

« Je vois, monsieur le marquis, que vous comptiez sur une autre visite que la mienne, et que vous seriez désireux d'y mettre obstacle. Peut-être est-il trop tard.

— Je suis dans un état d'esprit, monsieur, fit Jean d'Erlemont, où tous les visiteurs me paraissent des intrus.

— A commencer par moi.

— A commencer par vous. Aussi finissons-en rapidement, et veuillez me suivre dans mon bureau. »

Il s'en revint à travers la cour, jusqu'au château, accompagné d'Antonine et de l'inspecteur.

Mais, comme ils débouchaient à l'angle, ils avisèrent un monsieur qui était assis sur le banc de la terrasse, et qui fumait une cigarette.

La stupeur du marquis et d'Antonine fut telle qu'ils s'arrêtèrent.

Gorgeret s'arrêta comme eux, mais très calme,

lui. Connaissait-il la présence de Raoul dans
l'enceinte des murs ?

Raoul, en les apercevant, jeta sa cigarette, se
leva, et dit joyeusement au marquis :

« Je vous ferai remarquer, monsieur, que le
rendez-vous était sur le banc. Au dernier coup
de quatre heures, je m'y asseyais. »

Très élégant dans son complet de voyage
clair, la taille bien prise, la figure amusée,
vraiment sympathique, il avait enlevé son chapeau, et s'inclinait profondément devant Antonine.

« Je m'excuse encore, mademoiselle. Je porte
une lourde part des tourments que vous avez
dû subir, grâce à quelques malotrus. J'espère
que vous ne m'en tiendrez pas rigueur puisque
l'intérêt du marquis d'Erlemont guida seul ma
conduite. »

De Gorgeret, pas un mot. On eût dit que
Raoul ne l'avait pas vu et que la silhouette
massive de l'inspecteur demeurait invisible
pour lui.

Gorgeret ne broncha pas. Lui aussi, plus lour-
dement, mais avec autant de tranquillité, il gardait l'attitude nonchalante de quelqu'un à qui
la situation paraît tout à fait normale. Il attendait. Le marquis d'Erlemont et Antonine attendaient également.

Au fond, la pièce qui se jouait n'avait qu'un

acteur, Raoul, les autres n'ayant qu'à prêter l'oreille, à regarder et à patienter jusqu'à ce qu'il les priât d'entrer en scène.

Tout cela n'était pas pour lui déplaire. Il aimait se pavaner et discourir, surtout aux instants de grand péril, et lorsque le dernier acte des pièces montées par lui eût exigé, conformément aux règles ordinaires, la concision, la sobriété des gestes. Se promenant, les mains au dos, il prenait un air tour à tour avantageux, pensif, dégagé, sombre ou rayonnant. A la fin, s'arrêtant, il dit au marquis :

« J'hésitais à parler, monsieur. Il me semblait, en effet, que, notre rendez-vous étant privé, la présence de personnes étrangères ne nous permettait pas de traiter en toute liberté d'esprit les questions pour lesquelles nous sommes réunis. A la réflexion, il n'en est pas ainsi. Ce que nous avons à dire peut être dit devant n'importe qui, fût-ce même devant quelque représentant subalterne de cette police qui vous suspecte vous-même, monsieur, et qui se permet de vous demander des comptes. Je vais donc établir la situation telle qu'elle est, sans autre but que la vérité et la justice. Les honnêtes gens ont le droit de porter la tête haute. »

Il s'interrompit. Quelle que fût la gravité de l'heure, si inquiète et si désemparée que se sentît Antonine, elle dut serrer la bouche pour

ne pas sourire. Il y avait dans l'intonation
pompeuse de Raoul, dans le clignement im-
perceptible de ses yeux, dans le retroussement
de sa lèvre, dans un certain balancement de
son buste sur ses hanches, quelque chose de
comique qui écartait toute interprétation maussade des événements. Et quelle sécurité !
Quelle désinvolture en face du danger ! On
devinait que pas un mot n'était prononcé qui
ne fût utile et que tous, au contraire, visaient
à troubler l'ennemi.

« Nous n'avons pas à nous occuper, continuat-
il, de ce qui s'est passé récemment. La double
existence de Clara la Blonde et d'Antonine Gautier, leur ressemblance, leurs actes, les actes
du grand Paul, les actes du sieur Raoul, le
conflit qui, à un moment, a opposé ce parfait
gentilhomme au policier Gorgeret, la supério-
rité écrasante du premier sur le second, autant
de questions définitivement réglées, sur lesquelles aucune puissance au monde ne peut revenir.
Ce qui nous intéresse aujourd'hui, c'est le drame
de Volnic, c'est la mort d'Elisabeth Hornain,
et c'est la récupération de votre fortune, monsieur. Vous ne m'en voudrez pas de ce préam-
bule un peu long. Il nous permettra de résoudre
ces divers problèmes en quelques phrases brèves.
Et ainsi vous sera épargné l'interrogatoire humi-
liant d'un individu quelconque. »

Le marquis profita d'une pause pour objecter :

« Je n'ai à subir aucun interrogatoire.

— J'ai la certitude, monsieur, dit Raoul, que la justice, qui n'a jamais rien compris au drame de Volnic, essaie de se retourner vers vous, et, sans savoir où elle va, désire certaines précisions sur votre rôle dans ce drame.

— Mais mon rôle dans le drame est nul.

— J'en suis persuadé. Mais alors, la justice se demande pourquoi vous n'avez pas déclaré vos relations avec Elisabeth Hornain, et pourquoi vous avez acheté secrètement le château de Volnic, et pourquoi vous y reveniez parfois la nuit. En particulier, et d'après certaines preuves impressionnantes, on vous accuse... »

Le marquis tressauta :

« On m'accuse ! Qu'est-ce que c'est que cette histoire ? Qui donc m'accuse ? Et de quoi ? »

Il apostrophait Raoul avec irritation, comme s'il voyait soudain en celui-ci un adversaire sur le point de l'attaquer. Il répéta durement :

« Encore une fois, qui m'accuse ?

— Valthex.

— Ce bandit ?

— Ce bandit a réuni contre vous un dossier redoutable dont il fera certainement part à la justice, aussitôt convalescent. »

Antonine était pâle, anxieuse. Gorgeret avait

quitté son masque impassible. Il écoutait avide-
ment.

Le marquis d'Erlemont s'approcha de Raoul,
et, la voix impérieuse, il exigea :

« Parlez... Je vous somme de parler... De
quoi m'accuse ce misérable ?

— D'avoir tué Elisabeth Hornain. »

Un silence prolongea ces mots terribles. Mais
le visage du marquis se détendait, et il eut un
rire où ne se mêlait la moindre gêne.

« Expliquez-vous », dit-il.

Raoul expliqua :

« Vous connaissiez, monsieur, à cette époque,
un berger du pays, le père Gassiou, une sorte
d'innocent, un peu fou, avec qui vous alliez
souvent bavarder, durant vos séjours chez
M. et Mme de Jouvelle. Or, le père Gassiou
avait cette particularité d'être prodigieusement
adroit. Il tuait du gibier à coups de pierres
lancées par sa fronde, et tout s'est passé comme
si ce demi-fou, soudoyé par vous, ait tué Elisabeth Hornain d'un coup de pierre pendant que
celle-ci, sur votre demande, chantait dans les
ruines.

— Mais c'est absurde ! s'écria le marquis. Il
m'aurait fallu un motif, sacrebleu ! Pourquoi
aurais-je fait tuer cette femme que j'aimais ?

— Pour garder ses bijoux, qu'elle vous avait
confiés au moment de chanter.

— Ces bijoux étaient faux.

— Ils étaient vrais. Voilà ce qu'il y a de plus obscur dans votre conduite, monsieur ! Elisabeth Hornain les avait reçus d'un milliardaire d'Argentine ! »

Cette fois, le marquis d'Erlemont n'y tint plus. Il se dressa, hors de lui.

« Mensonge ! Elisabeth n'a jamais aimé personne avant moi ! Et c'est cette femme que j'aurais fait tuer ? Cette femme que j'aimais, que je n'ai jamais oubliée ! Quoi ! N'est-ce pas pour elle, pour sa mémoire, que j'ai acheté ce château, afin que l'endroit où elle était morte n'appartînt à personne d'autre qu'à moi ! Et si j'y revenais de temps à autre, n'était-ce pas pour prier sur ces ruines ? Si je l'avais tuée, aurais-je entretenu en moi l'affreux souvenir de mon crime ? Voyons, une telle accusation est monstrueuse !

— Bravo, monsieur ! dit Raoul en se frottant les mains. Ah ! si vous m'aviez répondu avec cet entrain, il y a vingt-cinq jours, que d'événements pénibles nous aurions évités ! Encore une fois, bravo, monsieur ! Et soyez sûr que, personnellement, je n'ai pas pris un instant au sérieux les accusations de l'abominable Valthex ni le dossier de mensonges qu'il a réuni. Gassiou ? Le coup de fronde ? Autant de blagues ! Tout cela n'est que chantage, mais chantage habile,

qui pourrait peser terriblement sur vous et contre lequel nous devons prendre toutes les précautions. En pareil cas un seul remède, la vérité,
l'absolue, l'implacable vérité, afin que nous
puissions l'opposer dès aujourd'hui à la justice.

— La vérité, je l'ignore.

— Je l'ignore aussi. Mais, au point où nous
en sommes, elle ne dépend plus, pour moi, que
de la netteté de vos réponses. Oui ou non, les
bijoux disparus étaient-ils vrais ? »

Le marquis n'hésita plus. Il fut catégorique.

« Ils étaient vrais.

— Et ils vous appartenaient, n'est-ce pas ?
Vous avez fait faire par une agence des recherches destinées à un héritage qu'on vous avait
dérobé. Me souvenant que la fortune des Erlemont provenait d'un aïeul qui avait vécu aux
Indes avec le titre de nabab, je suppose qu'il
avait converti ses immenses richesses en pierres
précieuses de toute beauté. En est-il ainsi ?

— Oui.

— Je suppose également que si les héritiers
du nabab Erlemont n'ont jamais parlé des colliers formés avec ces pierres précieuses, c'est pour
n'avoir pas à payer les droits de succession ?

— Je le suppose, dit le marquis.

— Et sans doute vous les aviez prêtés à Elisabeth Hornain ?

— Oui. Aussitôt divorcée, elle devait être ma

femme. Par fierté, par amour, je me plaisais à les voir sur elle.

— Elle les savait véritables ?

— Oui.

— Et toutes les pierres qu'elle portait ce jour-là vous appartenaient sans exception ?

— Non. Il y avait en outre un rang de perles fines que je lui avais données, d'ores et déjà, en toute propriété et d'une très grande valeur.

— Que vous lui avez offertes de la main à la main ?

— Que je lui ai fait envoyer par un bijoutier. »

Raoul hocha la tête.

« Vous voyez, monsieur, à quel point Valthex a pu prendre barre sur vous. Que Valthex ait recueilli un document prouvant que ce rang de perles appartenait à sa tante, de quel poids serait un tel document ! »

Et Raoul ajouta :

« Il ne s'agit plus, maintenant, que de découvrir le collier de perles et les autres colliers. Quelques mots encore. Le jour du drame, vous avez conduit Elisabeth Hornain jusqu'en bas des pentes qui montent aux ruines ?

— Un peu plus haut même.

— Oui, jusqu'à l'allée horizontale d'aucubas que l'on aperçoit d'ici ?

— En effet.

— Et vous êtes restés invisibles tous deux durant un espace de temps plus long que l'espace de temps que l'on pouvait escompter ?

— En effet. Je n'avais pas eu l'occasion de voir Elisabeth seule depuis deux semaines et nous nous sommes longuement embrassés.

— Ensuite ?

— Ensuite, comme elle avait l'intention de chanter certains morceaux où il lui semblait que son habillement et sa mise devaient rester parfaitement simples, elle voulut me confier tous ses colliers. Je ne fus pas de son avis. Elisabeth n'insista pas et elle me regarda partir. Quand je tournai à l'extrémité de l'avenue des aucubas, elle était encore immobile.

— Avait-elle encore les colliers quand elle arriva à la terrasse supérieure des ruines ?

— Je n'en sais rien, personnellement. Et c'est un point sur lequel aucun des invités ne put faire une déclaration précise. On ne remarqua l'absence des colliers qu'après le drame.

— Soit. Mais le dossier de Valthex contient des témoignages contraires. Au moment du drame, Elisabeth Hornain n'avait plus les bijoux. »

Le marquis conclut :

« Ils auraient donc été volés entre l'avenue des aucubas et la terrasse supérieure ? »

Il y eut un silence, et Raoul articula lentement, syllabe par syllabe :

« Les bijoux n'ont pas été volés.

— Comment, ils n'ont pas été volés ! Mais
pourquoi Elisabeth Hornain aurait-elle été assassinée ?

— Elisabeth Hornain n'a pas été assassinée. »
C'était la joie de Raoul de procéder ainsi par
affirmations sensationnelles. Et cette joie se voyait
à une petite flamme qui s'allumait dans ses
yeux.

Le marquis se récria :

« Enfin, quoi ! j'ai vu la plaie... Personne n'a
jamais douté qu'un crime ait été commis. Qui
l'a commis ? »

Raoul leva le bras, tendit l'index et prononça :

« Persée.

— Que signifie ?

— Vous me demandez qui a commis le crime.
Je vous réponds très sérieusement : Persée ! »

Il acheva :

« Et maintenant, ayez l'obligeance de m'accompagner jusqu'aux ruines. »

XXII

LE CRIME DE PERSÉE

JEAN D'ERLEMONT ne se conforma pas sur-le-champ à la demande de Raoul. Il demeurait indécis et, visiblement, très ému.

« Ainsi, dit-il, nous serions près d'atteindre le but ?... J'ai tant cherché et tant souffert de ne pouvoir venger Elisabeth !... Est-ce possible que nous sachions la vérité sur sa mort ?

— Je la connais, cette vérité, affirma Raoul. Et, pour le reste, pour les bijoux disparus, je crois pouvoir certifier... »

Antonine était sûre, elle. Son clair visage indiquait une confiance que n'altérait aucune restriction. Elle serra la main de Jean d'Erlemont pour lui communiquer sa conviction joyeuse.

Quant à Gorgeret, tous les muscles de sa figure étaient contractés. Sa mâchoire se crispait. Lui non plus il ne pouvait admettre que des problèmes auxquels il avait consacré tant de vains efforts fussent résolus par son adversaire

détesté. Il espérait et redoutait à la fois une
réussite humiliante pour lui.

Jean d'Erlemont refit le chemin qu'il avait
fait quinze ans plus tôt en compagnie de la
chanteuse. Antonine le suivait et précédait Raoul
et Gorgeret.

Le plus tranquille de tous était certes Raoul.
Il se réjouissait de voir marcher devant lui la
jeune fille et notait certains détails qui la dis-
tinguaient de Clara : une allure moins ondu-
leuse et moins souple, mais mieux rythmée et
plus simple, moins de volupté mais plus de
fierté, moins de grâce féline mais plus de naturel. Et ce qu'il notait dans la marche, il se rendait compte qu'on le retrouvait dans l'attitude
et dans le visage même d'Antonine, quand on la
contemplait de face. Deux fois, ayant dû ralen-
tir à cause des herbes qui s'enchevêtraient par-
dessus le sentier, elle chemina côte à côte avec
lui. Il s'aperçut qu'elle rougissait. Ils n'échan-
gèrent pas un seul mot.

Le marquis remonta les degrés de pierre qui
sortaient du jardin creux, puis les degrés qui
aboutissaient à la seconde terrasse, laquelle se
prolongeait à droite et à gauche par des lignes
d'aucubas qu'ornaient de vieux vases sur leurs
socles moussus et fendillés. Il prit à gauche pour
atteindre les pentes et les marches qui grimpaient à travers les ruines. Raoul l'arrêta.

« C'est bien ici que vous vous êtes attardés, Elisabeth Hornain et vous ?

— Oui.

— A quel endroit exact ?

— Là où je suis.

— On pouvait vous voir du château ?

— Non. Les arbustes, qui n'ont pas été taillés ni soignés, sont dégarnis. Mais, autrefois, ils formaient de haut en bas un rideau épais.

— Alors, c'est à cet endroit que se tenait Elisabeth Hornain lorsque vous vous êtes retourné au bout de la haie ?

— Oui. Ma mémoire a gardé la vision fidèle de sa silhouette. Elle m'a envoyé un baiser. Je revois son geste passionné, son attitude, ce vieux socle qui est là, le cadre de verdure qui l'entourait. Je n'ai rien oublié.

— Et quand vous êtes redescendu dans le jardin, vous vous êtes retourné une seconde fois ?

— Oui, pour la revoir dès qu'elle sortirait de l'avenue.

— Et vous l'avez aperçue ?

— Pas tout de suite, mais presque aussitôt.

— Normalement, vous auriez dû l'apercevoir tout de suite ? Normalement, elle aurait dû être sortie de l'avenue ?

— Oui. »

Raoul se mit à rire doucement.

« Pourquoi riez-vous ? » lui dit d'Erlemont.

Et Antonine aussi l'interrogeait de tout son être tendu vers lui.

« Je ris parce que, plus un cas paraît compliqué, et plus on veut que la solution le soit également. On ne court jamais après une idée simple, on court après des solutions extravagantes et tortueuses. Dans vos investigations, plus tard, que veniez-vous chercher ? Les colliers ?

— Non, puisqu'ils avaient été volés. Je venais chercher des indices qui pouvaient me mettre sur les traces de l'assassin.

— Et pas une fois vous ne vous êtes demandé si, par hasard, les colliers n'avaient pas été volés ?

— Jamais.

— Et jamais non plus Gorgeret, ni ses acolytes, ne se le sont demandé. On ne se pose jamais la vraie question; on s'acharne à se poser toujours la même question.

— Quelle était la vraie question ?

— La question enfantine que vous m'avez contraint d'examiner : Elisabeth Hornain préférant chanter sans colliers ne les aurait-elle pas placés quelque part ?

— Impossible ! On n'abandonne pas ainsi de pareilles richesses à la convoitise des passants.

— Quels passants ? Vous savez parfaitement, et elle le savait aussi, que tout le monde était massé autour du château.

— Alors, selon vous, elle aurait déposé ses bijoux dans un endroit quelconque ?

— Quitte à les reprendre en redescendant dix minutes plus tard.

— Mais après le drame, quand nous avons tous accouru, nous les aurions vus ?

— Pourquoi... si elle les a mis dans un endroit où l'on ne pouvait pas les voir ?

— Où ?

— Dans ce vieux vase, par exemple, qui était à portée de sa main, et où il devait y avoir, ainsi que dans les autres, des plantes grasses, ou des plantes prospérant à l'ombre. Elle n'eut qu'à se hausser sur la pointe des pieds, à tendre le bras et à déposer les bijoux sur la terre du vase. Geste tout naturel, dépôt provisoire, et que le hasard et la bêtise des hommes ont rendu définitif.

— Comment... définitif ?

— Dame ! Les plantes se sont flétries, des feuilles sont tombées qui ont pourri également, et une sorte d'humus s'est formé qui recouvre le dépôt comme la plus inaccessible des cachettes. »

D'Erlemont et Antonine se taisaient, impressionnés par tant de certitude paisible :

« Comme vous êtes affirmatif ! fit d'Erlemont.

— J'affirme, parce que c'est la vérité. Il vous
est facile de vous en assurer. »

Le marquis hésita. Il était très pâle. Puis il
refit le geste accompli par Elisabeth Hornain.
Il se haussa sur la pointe des pieds, tendit le
bras, fouilla parmi l'agglomération de terreau
humide que le temps avait formée au fond du
vase, et murmura en frémissant :

« Oui... ils sont là... On sent les colliers... les
facettes des pierres... les montures qui les
relient... Mon Dieu ! quand je pense qu'elle
portait ces choses ! »

Une telle émotion l'accablait qu'il osait à
peine aller jusqu'au bout de son acte. Un à un
il tira les colliers. Il y en avait cinq. Malgré
tout ce qui les salissait, le rouge des rubis, le
vert des émeraudes, le bleu des saphirs écla-
taient, et des parcelles d'or étincelaient. Il murmura :

« Il en manque un... Il y en avait six... »

Ayant réfléchi, il répéta :

« Oui... il en manque un... il manque le collier de perles que je lui avais donné... C'est
étrange, n'est-ce pas ? Celui-ci aurait-il été volé
avant qu'elle n'ait déposé les autres ? »

Il énonçait les questions sans y attacher beaucoup d'importance, cette dernière énigme lui

paraissant insoluble. Mais les regards de Raoul
et de Gorgeret se croisèrent. L'inspecteur songeait :

« C'est lui qui a subtilisé les perles... se dit
l'inspecteur. Il nous joue la comédie du sorcier,
alors que, dès ce matin, ou dès hier, il a tout
fouillé et prélevé sa part du butin... »

Et Raoul hochait la tête et souriait avec un
air de dire :

« C'est ça mon vieux... Tu as découvert le
pot aux roses... Que veux-tu ? faut bien vivre ! »

La naïve Antonine, elle, ne fit aucune supposition. Elle aidait le marquis à ranger et à
envelopper les colliers de pierres précieuses.
Quand ce fut terminé, le marquis d'Erlemont
entraîna Raoul vers les ruines.

« Continuons, disait-il. Parlez-moi d'elle, de
ce qui s'est passé. Comment est-elle morte ? Qui
l'a tuée, la malheureuse ? Je n'ai jamais oublié
cette mort atroce... Je ne me suis pas remis de
ma peine... Je voudrais tant savoir ! »

Il interrogeait comme si Raoul détenait entre ses mains la vérité sur toutes choses, ainsi
qu'un objet caché sous un voile et qu'on peut
découvrir à son gré. Il devait suffire à Raoul
de vouloir pour que les ténèbres s'emplissent
de lumière et que les révélations les plus extra-
ordinaires sortissent de sa bouche.

Ils arrivèrent au terre-plein supérieur, près

du tertre où Elisabeth était morte. De là on
apercevait tout le château, le parc et la tour
d'entrée.

Antonine, qui se trouvait tout près de Raoul,
chuchota :

« Je suis bien heureuse pour parrain et je
vous remercie... Mais j'ai peur...

— Vous avez peur ?

— Oui... peur de Gorgeret... Vous devriez
partir ! »

Il répondit doucement :

« Quel plaisir vous me faites ! Mais il n'y a
aucun danger, tant que je n'aurai pas dit tout
ce que je sais, tout ce que Gorgeret a tellement
envie de savoir ! Dois-je partir avant ? »

La sentant rassurée, et le marquis le pressant
de questions, Raoul expliqua :

« Comment le drame s'est déroulé ? Voyez-
vous, monsieur, pour arriver au but, j'ai suivi
le chemin contraire à celui que je vous ai fait
suivre. Oui, l'évolution de mes réflexions est
partie d'un point opposé. Si j'ai conclu qu'il
n'y avait peut-être pas de voleur, c'est que j'ai
supposé, dès le début, qu'il n'y avait peut-être
pas d'assassin. Et, si j'ai supposé cela, c'est que
les circonstances voulaient qu'on n'aurait pas pu
ne pas le voir, cet assassin. On ne tue pas devant
quarante personnes, en plein jour, en pleine
lumière, sans que ces quarante personnes vous

voient accomplir votre meurtre. Un coup de
feu ? On l'eût entendu. Un coup de massue ?
On l'eût vu. Un coup de pierre ? On eût surpris le geste. Or, tout fut invisible et silencieux.
Donc il fallait chercher en dehors des causes
de mort purement humaines, c'est-à-dire provo-
quées par la volonté d'un homme.

Le marquis demanda :

« La mort, cependant, fut accidentelle ?

— La mort fut accidentelle, par conséquent
fut l'effet du hasard. Or, les manifestations du
hasard sont illimitées et peuvent prendre les
formes les plus insolites et les plus exception-
nelles. J'ai été naguère mêlé à une aventure où
l'honneur et la fortune d'un homme dépendaient d'un document caché au sommet d'une
tour très haute et sans escalier. Un matin, cet
homme s'aperçut que les deux extrémités d'une
très longue corde pendaient de chaque côté de
la tour. J'ai pu établir que cette corde provenait d'un ballon sphérique d'où les passagers,
pour se délester au cours de la nuit précédente,
avaient jeté tout leur matériel, et le hasard avait
fait qu'elle était tombée exactement comme il
le fallait pour offrir un moyen d'escalade fort
commode. Miracle certes, mais la multiplicité
des combinaisons est telle qu'il se produit à
chaque heure, dans la nature, des milliers et
des milliers de miracles.

— Ainsi ?...

— Ainsi la mort d'Elisabeth Hornain a été provoquée par un phénomène physique extrêmement fréquent, mais dont les conséquences mortelles sont extrêmement rares. Cette hypothèse s'est présentée à mon esprit après que Valthex eut accusé le berger Gassiou d'avoir lancé une pierre avec sa fronde. Je pensai que Gassiou ne pouvait pas être là, mais qu'une pierre avait pu frapper Elisabeth Hornain, et que c'était même la seule explication plausible de sa mort.

— Une pierre lancée du ciel ? dit le marquis non sans ironie.

— Pourquoi pas ?

— Allons donc ! Qui l'aurait lancée, cette pierre ?

— Je vous l'ai dit, cher monsieur : Persée ! »
Le marquis l'implora :

« Je vous en supplie ne rions pas.

— Mais je suis très sérieux, affirma Raoul, et je ne parle qu'à bon escient, en m'appuyant, non pas sur des hypothèses, mais sur des faits incontestables. Chaque jour des millions de ces pierres, bolides, aérolithes, météorites, fragments de planètes dissociées, traversent l'espace à des vitesses vertigineuses, s'enflamment en pénétrant dans l'atmosphère et tombent. Chaque jour il en arrive des tonnes et des tonnes. On en a ramassé des millions, de toutes les formes et de toutes les dimensions. Que l'une d'elles, par un hasard effroyable mais possible, mais déjà constaté, vienne à frapper un être, et c'est la mort, la mort imbécile et parfois incompréhensible. Or... »

Après une pause, Raoul précisa :

« Or, les averses de projectiles, qui se produisent d'un bout de l'année à l'autre, sont plus fréquentes et plus denses à certaines périodes fixes, et la plus connue est celle qui se produit au mois d'août, exactement du 9 au 14, et qui paraît avoir son point d'origine dans la constellation de Persée. D'où le nom de perséides sous lequel on désigne cette poussière d'étoiles filantes. Et d'où la plaisanterie que je me suis permise en accusant Persée. »

Sans laisser au marquis le loisir d'émettre un doute ou une objection, Raoul continua :

« Voilà quatre jours qu'un homme à moi, habile et dévoué, saute, la nuit, le mur à l'endroit de la brèche, fouille les ruines dès le matin aux environs de ce tertre, et moi-même, j'y suis venu dès l'aube hier et aujourd'hui.

— Vous avez trouvé ?

— Oui. »

Raoul exhiba une petite boule de la grosseur d'une noix, toute ronde, mais rugueuse, pleine d'aspérités dont les angles auraient été émous-

sés par la fusion qui avait recouvert la surface
d'une sorte d'émail d'un noir brillant.

Il s'était à peine interrompu; il reprit :

« Ce projectile, je ne doute pas que les policiers de l'enquête initiale ne l'aient vu, mais
nul ne l'a remarqué, car ils cherchaient quelque balle de fusil ou quelque projectile de fabri-
cation humaine. Pour moi, sa présence ici est
la preuve indiscutable de la réalité. J'ai d'autres
preuves. D'abord, la date même du drame : le
13 août, qui est un des jours où la Terre passe
sous l'averse des perséides. Et je vous dirai
que cette date du 13 août est un des premiers
points de lumière qui aient jailli dans mon
esprit.

« Et puis, j'ai la preuve irréfutable, celle qui
n'est pas seulement une preuve de logique et
de raisonnement, mais une preuve scientifique.
Hier, j'ai porté cette pierre à Vichy, dans un
laboratoire de chimie et de biologie. On y a
trouvé, plaqués contre la couche de vernis
extérieure, des fragments de tissu humain
carbonisés... oui, des fragments de peau et de
chair, des cellules arrachées à un être vivant
qui se sont carbonisées au contact du projectile
enflammé et qui y ont adhéré si indissoluble-
ment que le temps n'a pu les faire disparaître.
Ces prélèvements sont conservés par le chi-
miste, et seront l'objet d'un rapport, en quelque

sorte officiel, qui vous sera remis, monsieur
d'Erlemont, ainsi qu'au sieur Gorgeret, si ça
l'intéresse. »

Raoul se tourna vers le sieur Gorgeret.

« Du reste, l'affaire est classée par la justice
depuis quinze ans, et elle ne sera pas rouverte.
Le sieur Gorgeret a pu remarquer certaines
coïncidences et découvrir que vous y avez joué
un certain rôle. Il n'aura jamais d'autres preuves que les preuves mensongères que lui appor-
terait Valthex, et il n'osera pas insister sur une
aventure où il s'est montré si pitoyable. N'est-ce
pas, monsieur Gorgeret ? »

Il se planta en face de lui, et comme s'il l'apercevait soudain, il lui lança :

« Qu'en dis-tu, mon vieux ? Trouves-tu pas
qu'elle tient debout, mon explication, et qu'elle
est l'expression même de la vérité ? Pas de vol.
Pas d'assassinat. Alors, quoi, tu ne sers plus à
rien ? La justice... la police... c'est donc des bali-
vernes ? Un petit jeune homme comme moi, tout
simplet, tout gentil, passe à travers l'aventure
où vous pataugez, débrouille l'écheveau, ramasse
le projectile que nul ne trouva, remet les colliers
aussi chiquement que si c'étaient des cailloux
enfilés... et s'en va, la tête haute, le sourire aux
lèvres, avec le sentiment du devoir accompli.
Adieu, mon gros. Bien des choses à Mme Gorgeret, et raconte-lui cette histoire. Ça la distraira,

et ça ne pourra qu'ajouter à mon prestige auprès d'elle. Tu me dois bien cela. »

Très lentement, l'inspecteur leva son bras et posa sa main pesante sur l'épaule de Raoul, qui parut stupéfié et s'écria :

« Hein ? Qu'est-ce que tu fabriques ? Voilà que tu m'arrêtes ? Eh bien, tu en as du culot ! Comment, je fais ton ouvrage, et pour me remercier, les menottes ?... Alors, quoi, qu'est-ce que tu ferais si tu avais en face de toi un cambrioleur au lieu d'un gentleman ? »

Gorgeret ne desserra pas les dents. De plus en plus il affectait l'indifférence et le dédain d'un monsieur qui domine les événements et n'a pas à se soucier de ce que les gens peuvent dire ou penser. Que Raoul s'amusât à discourir... tant mieux ! Gorgeret, lui, profitait des discours, enregistrait les révélations, jugeait les arguments, et n'en faisait qu'à sa tête.

Enfin, il saisit un gros sifflet qu'il porta calmement à sa bouche et d'où il tira un appel strident dont l'écho se répercuta contre les roches voisines et rebondit dans le couloir de la vallée.

Raoul ne dissimula pas son étonnement.

« C'est donc sérieux ? »

L'inspecteur ricana, avec condescendance :

« Tu le demandes ?

— Encore une bataille rangée ?

— Oui, mais cette fois j'ai pris mon temps et soigné ma préparation. Depuis hier, mon petit, je surveille le domaine, et depuis ce matin je sais que tu t'y caches. Tous les abords du château, tous les murs d'enceinte qui aboutissent à gauche et à droite des ruines et se relient à ce promontoire abrupt, tout cela est gardé. Brigade de gendarmerie, inspecteurs de Paris, commissaires de la région, tout le monde est sur pied. »

Le timbre de la cour d'entrée retentit.

Gorgeret annonça :

« Première vague d'assaut. Dès que cette équipe-là sera introduite, un second coup de sifflet déclenchera l'attaque. Si tu essaies de fuir, on t'abat comme un chien, à coups de fusil. Les ordres sont formels. »

Le marquis intervint.

« Monsieur l'inspecteur, je n'admets pas qu'on pénètre chez moi sans mon autorisation. Cet homme avait rendez-vous avec moi. Il est mon hôte. Il m'a rendu service. Les portes ne seront pas ouvertes. D'ailleurs j'ai la clef.

— On les démolira, monsieur le marquis.

— A coups de bélier ? ricana Raoul. A coups de hache ? Tu n'auras pas fini avant la nuit. Et, d'ici là, où serai-je ?

— A coups de dynamite ! gronda Gorgeret.

— Tu en as dans tes poches ? »

Raoul le prit à part.

« Deux mots, Gorgeret. Etant donné ma conduite depuis une heure, je pouvais espérer que
que nous sortirions tous deux d'ici, bras dessus
bras dessous, comme deux copains. Puisque tu
t'y refuses, je te supplie de renoncer à ton plan
d'attaque, de ne pas démolir des portes historiques, et de ne pas m'humilier devant une dame
à l'estime de laquelle je tiens infiniment. »

Gorgeret l'épia du coin de l'œil et dit :

« Tu te fous de moi ? »

Raoul fut indigné.

« Je ne me fous pas de toi, Gorgeret. Seulement, je désire que tu envisages toutes les conséquences de la bataille.

— Je les envisage toutes.

— Sauf une !

— Laquelle ?

— Si tu t'entêtes, eh bien, dans deux mois...

— Dans deux mois ?

— Je m'offre un petit voyage de quinze jours
avec Zozotte. »

Gorgeret se redressa, la figure empourprée, et
lui jeta d'une voix sourde :

« J'aurai d'abord ta peau !

— Allons-y », s'écria Raoul joyeusement.

Et s'adressant à Jean d'Erlemont :

« Monsieur, je vous en conjure, accompagnez
le sieur Gorgeret, et faites ouvrir toutes grandes

les portes du château. Je vous donne ma parole
que pas une goutte de sang ne sera versée, et
que tout se passera de la façon la plus tranquille
et la plus décente — entre gentilshommes. »

Raoul avait trop d'autorité sur Jean d'Erlemont pour que celui-ci n'acceptât point une
solution, qui, au fond, le tirait d'embarras.

« Tu viens, Antonine ? » dit-il en s'en allant.

Gorgeret exigea :

« Toi aussi, Raoul, viens.

— Non, moi, je reste.

— Tu espères peut-être te sauver pendant
que je serai là-bas ?

— C'est une chance qu'il te faut courir, Gorgeret.

— Alors, je reste aussi... je ne te lâche pas
d'une semelle.

— Alors, je te ficelle et te bâillonne comme
l'autre fois. Choisis.

— Enfin que veux-tu ?

— Fumer une dernière cigarette avant d'être
capturé. »

Gorgeret hésita. Mais qu'avait-il à redouter ?
Tout était prévu. Aucune fuite possible. Il rejoignit le marquis d'Erlemont.

Antonine voulut les suivre, mais n'en eut
pas la force. Sa pâle figure trahissait une angoisse
extrême. La forme même du sourire avait quitté
ses lèvres.

« Qu'est-ce que vous avez, mademoiselle ? » lui dit Raoul, doucement.

Elle le supplia, avec une expression de détresse.

« Mettez-vous à l'abri quelque part... il doit y avoir des cachettes sûres.

— Pourquoi me cacher ?

— Comment ! Alors, ils vont vous prendre !

— Jamais de la vie. Je vais m'en aller.

— Il n'y a pas d'issue.

— Ce n'est pas une raison pour que je ne m'en aille pas.

— Ils vous tueront.

— Et cela vous ferait de la peine ? Vous auriez donc quelque regret s'il arrivait malheur à celui qui vous a outragée, un jour, dans ce château ? Non... ne répondez pas... Nous avons si peu de temps à rester ensemble !... quelques minutes à peine... et je voudrais vous dire tant de choses !... »

Sans la toucher, et sans qu'elle en eût conscience, Raoul l'entraînait un peu plus loin, de façon qu'on ne pût les voir de nul endroit du parc. Entre un vaste pan de mur, vestige de l'ancien donjon, et un amas de ruines écroulées, il y avait un espace vide, large de dix mètres peut-être, qui dominait le précipice et qui était bordé par une toute petite murette de pierres sèches. Cela formait comme une pièce isolée,

dont la large fenêtre s'ouvrait, par-dessus le
gouffre où coulait la rivière, sur un horizon
merveilleux de plaines ondulées.

Ce fut Antonine qui parla, et d'une voix
moins anxieuse :

« Je ne sais pas ce qui va advenir... mais j'ai
moins peur... et je veux vous remercier de la
part de M. d'Erlemont... Il gardera le château,
n'est-ce pas, comme vous le lui avez proposé ?

— Oui.

— Autre chose... je voudrais savoir... et vous
seul pouvez me répondre... Le marquis d'Erlemont est mon père ?

— Oui. J'ai pris connaissance de la lettre,
très explicite, que vous lui avez remise de la part
de votre mère.

— Je ne doutais guère de la vérité, mais je
n'avais aucune preuve. Et cela mettait de la
gêne entre nous. Je suis heureuse puisque je
pourrai me laisser aller à mon affection. Il est
aussi le père de Clara, n'est-ce pas ?

— Oui, Clara est votre demi-sœur...

— Je le lui dirai.

— Je suppose qu'il l'aura deviné.

— Je ne le crois pas. En tout cas, ce qu'il
fera pour moi, je veux qu'il le fasse pour elle.
Un jour, je la verrai, n'est-ce pas ? Qu'elle
veuille bien m'écrire... »

Elle parlait simplement, sans emphase ni

excès de gravité. Un peu de son sourire adorable relevait, de nouveau, le coin de ses lèvres. Raoul frissonna, et ses yeux ne quittaient pas les jolies lèvres. Elle murmura :

« Vous l'aimez bien, n'est-ce pas ? »

Il dit à voix basse, et en la regardant profondément :

« Je l'aime à travers votre souvenir, et avec un regret qui ne s'en ira pas. Ce que j'aime en elle, c'est la première image de la jeune fille qui est entrée chez moi, le jour de son arrivée à Paris. Cette jeune fille a un sourire que je n'oublierai jamais, et quelque chose de spécial qui m'a ému dès le début. C'est cela que j'ai toujours recherché depuis, quand je croyais qu'il n'y avait qu'une femme, qui s'appelait Antonine ou Clara. Maintenant que je sais qu'il y en a deux, j'emporte la jolie image... qui est l'image de mon amour... qui est mon amour lui-même... et que vous ne pouvez me retirer.

— Mon Dieu ! dit-elle toute rougissante, est-ce que vous avez le droit de me parler ainsi ?

— Oui, puisque nous ne devons plus nous revoir. Le hasard d'une ressemblance fait que nous sommes attachés l'un à l'autre par des liens réels. Depuis que j'aime Clara, c'est vous que j'aime, et il est impossible qu'un peu de son amour, à elle, ne soit pas mêlé d'un peu de votre sympathie... de votre affection... »

Elle chuchota, avec un trouble qu'elle n'essayait point de dissimuler :

« Allez-vous-en, je vous en supplie. »

Il fit un pas vers le parapet. Elle s'effraya.

« Mais non ! Mais non ! Pas de ce côté !

— Il n'y a pas d'autre issue.

— Mais c'est épouvantable ! Comment ! Mais je ne veux pas !... Non ! non !... Je vous en prie. »

Cette menace du terrible danger la transformait. Durant quelques instants elle ne fut plus la même, et son visage exprimait toutes les peurs, toutes les angoisses, et toutes les supplications d'une femme dont les sentiments, ignorés d'elle, sont bouleversés.

Cependant des voix montaient du château, du jardin creux peut-être. Est-ce que Gorgeret et ses hommes n'avançaient pas vers les ruines ?

« Restez... Restez..., dit-elle, je vous sauverai... Ah ! quelle horreur ! »

Raoul avait passé l'une de ses jambes pardessus le petit mur.

« Soyez sans crainte, Antonine... J'ai étudié la paroi de la falaise, et je ne suis peut-être pas le premier qui s'y aventure. Je vous jure que ce n'est qu'un jeu pour moi. »

Une fois encore, elle subit son influence au point qu'elle parvint à se dominer.

« Souriez-moi, Antonine. »

Elle sourit, d'un effort douloureux.

« Ah ! dit Raoul, comment voulez-vous qu'il m'arrive quelque chose avec ce sourire dans les yeux ? Faites mieux, Antonine. Pour me sauvegarder, donnez-moi votre main. »

Elle était devant lui. Elle tendit sa main, mais avant qu'il ne l'eût baisée, elle la retira, se pencha, demeura ainsi quelques secondes indécise, les paupières à demi closes, et, à la fin, s'inclinant davantage, lui offrit ses lèvres.

Le geste fut d'une naïveté charmante, et d'une telle chasteté, que Raoul vit bien qu'elle n'y attachait que l'importance d'une caresse fraternelle, où il y avait un entraînement dont elle ne comprenait pas la cause profonde. Il effleura les douces lèvres qui souriaient et respira la pure haleine de la jeune fille.

Elle se releva, étonnée de l'émotion ressentie, chancela sur elle-même, et balbutia :

« Allez-vous-en... Je n'ai plus peur... Allez-vous-en... Je n'oublierai pas... »

Elle se tourna vers les ruines. Elle n'avait pas le courage de plonger ses yeux dans l'abîme et de voir Raoul, accroché aux aspérités de la falaise. Et, tout en écoutant les voix rudes qui se rapprochaient, elle attendit le signal qu'il ne manquerait pas de lui envoyer pour la prévenir qu'il était sain et sauf. Elle attendit sans trop d'effroi, certaine que Raoul réussirait.

Au-dessous du terre-plein, des silhouettes passèrent, qui se baissaient et battaient les fourrés.

Le marquis appela :

« Antonine !... Antonine !... »

Quelques minutes s'écoulèrent. Son cœur se serrait. Puis il y eut un bruit d'auto dans la vallée, et un bruit de sirène qui chantait joyeusement d'écho en écho.

Elle murmura, son beau sourire atténué de mélancolie, et les yeux pleins de larmes :

« Adieu !... Adieu !... »

A vingt kilomètres de là, Clara se morfondait dans une chambre d'auberge. Elle se jeta sur lui, toute fiévreuse :

« Tu l'as vue ?

— Demande-moi d'abord, dit-il en riant, si j'ai vu Gorgeret et comment j'ai pu me soustraire à sa redoutable étreinte. Ce fut rude. Mais j'ai bien joué ma partie.

— Et elle ?... Parle-moi d'elle...

— J'ai retrouvé les colliers... et le projectile...

— Mais elle ?... Tu l'as vue ? Avoue-le ?

— Qui ?... Ah ! Antonine Gautier ?... Ma foi, oui, elle se trouvait là... un hasard.

— Tu lui as parlé ?

— Non... non... C'est elle qui m'a parlé.

— De quoi ?

— Oh ! de toi, uniquement de toi, elle a
deviné que tu étais sa sœur, et elle désire te
voir un jour ou l'autre...

— Elle me ressemble ?

— Oui... Non... Vaguement en tout cas. Je
vais te raconter tout cela par le menu, ma chérie. »

Elle ne lui laissa rien raconter ce jour-là.
Mais, de temps à autre, dans l'automobile qui
les emmenait vers l'Espagne, elle posait une
question :

« Elle est jolie ? Mieux que moi, ou moins
bien ? Une beauté de provinciale, n'est-ce pas ? »

Raoul répondait de son mieux, un peu distraitement parfois. Il évoquait, au fond de lui,
avec un plaisir ineffable, la façon dont il avait
échappé à Gorgeret. En vérité, le destin lui
était favorable. Cette évasion romantique, et
qu'il n'avait *réellement* pas préparée, ignorant
la manœuvre de Gorgeret, cette évasion à travers l'espace avait grande allure ! Et quelle
douce récompense que le baiser de la vierge au
frais sourire !...

« Antonine ! Antonine ! » répétait-il en lui-
même.

Valthex annonça des révélations sensationnelles. Mais il ne les fit point, ayant changé d'avis.
D'ailleurs, Gorgeret découvrit contre lui des

charges tellement précises concernant deux cri-
mes où la culpabilité de Valthex, *alias* le grand
Paul, était démontrée, que le bandit s'affola.
Un matin, on le trouva pendu.

De son côté, l'Arabe ne toucha jamais le prix
de sa délation. Complice de ces deux crimes,
il fut condamné aux travaux forcés et mourut
au cours d'une tentative de fuite.

Peut-être n'est-il pas inutile de noter que,
trois mois plus tard, Zozotte Gorgeret fit une
fugue de quinze jours à la suite de laquelle elle
réintégra le domicile conjugal sans donner la
moindre explication à Gorgeret.

« C'est à prendre ou à laisser, lui dit-elle.
Veux-tu de moi ? »

Jamais elle n'avait été plus séduisante qu'au
retour de cette expédition. Ses yeux étaient brillants. Elle rayonnait de bonheur. Gorgeret,
ébloui, ouvrit les bras en demandant pardon.

Un autre fait, digne d'intérêt, doit être relaté.
Quelques mois après, exactement à la fin du
sixième mois qui suivit l'époque où la reine
Olga avait quitté Paris en compagnie du roi,
les cloches du royaume danubien de Borostyrie
sonnèrent à toute volée pour annoncer un événement considérable. Au bout de dix ans d'attente, alors qu'aucun espoir ne demeurait, la

reine Olga venait de mettre au monde un héritier.

Le roi parut au balcon et présenta l'enfant à la foule délirante. Sa Majesté rayonnait de joie et de légitime fierté. L'avenir de la race était assuré...

TABLE

IMPRIMÉ EN FRANCE PAR BRODARD ET TAUPIN
Usine de La Flèche (Sarthe).
LIBRAIRIE GÉNÉRALE FRANÇAISE - 6, rue Pierre-Sarrazin - 75006 Paris.
ISBN : 2 - 253 - 00315 - 8